PUC, BURSZTYN I GOŚCIE

Jan Grabowski

PUC, BURSZTYN I GOŚCIE

Ilustrował
Konstanty Sopoćko

Nasza Księgarnia

Projekt okładki *Joanna Rusinek*
Ilustracje na okładce *Konstanty Sopoćko*

ROZDZIAŁ PIERWSZY

Dzień zapowiadał się wcale niewesoło.

Przede wszystkim było pranie. I to nawet wielkie pranie!

Z korytarzyka przy kuchni buchała na podwórze para i zapach mydlin. Już to jedno może przyprawić każdego psa o mdłości.

Ale nie dosyć na tym.

Najgorsze było to, że kiedy Katarzyna stała przy balii, broń Boże było pokazać się jej na oczy. O byle drobiazg zaraz gwałt, awantura, wymysły. Ba, i mokrą bielizną można było jak nic oberwać po grzbiecie.

Na podwórzu też nie działo się nic ciekawego. Nie było na czym oka zaczepić.

Na co tu patrzeć? Kury? Kto by się tam nimi interesował? Kaczki? Jeszcze gorzej! Tapla się to w najbardziej mokrych miejscach i zjada takie paskudztwa, których nawet najbardziej znudzony pies nie powącha.

Trafiały się od czasu do czasu wróble, to prawda. Ale Pucek wyrósł już z tego wieku, kiedy się poluje na wróble. Niech się za nimi ugania Bursztyn, jeśli po temu ma ochotę. Choć tego uganiania się za wróblami nie mógł on Bursztynowi darować.

Właśnie jakiś wróbli amator pokazał się na podwórzu. Bursztyn wyrwał się za nim.

– Bursztyn! – krzyknął na niego Puc. – Nie mówiłem ci to, żebyś wróbli nie ganiał?

– Dlaczego? – zawołał Bursztyńsio, który coraz mniej słuchał Puca.

– On się pyta! – obruszył się Puc. – Nie wypada, i już. Zresztą ja ci to mówię.

– Wiele sobie z tego robię! – odburknął Bursztyńsio i nuż harcować za wróblem.

A wróbel, niecnota, jakby się umyślnie droczył z psem. Frunie kilka kroków i siada na ziemi. Czeka. Bursztyn do niego. A wróbel – frrrru! Zakręci się w górę i znów pada na ziemię. Bursztyńsio upędza się po całym podwórzu, tu, tam. Zziajał się, zmęczył.

Najchętniej byłby odstąpił od polowania, ale mu było przed Puckiem wstyd. Skoczył więc jeszcze raz w górę, jak mógł najwyżej.

Już miał prawie wróbla w zębach. Lecz tylko prawie. Za to naprawdę miał dobrego guza na łepetynie. Bo spadając, łupnął głową w pieniek do rąbania drzewa.

– Smarkacz! Szczeniak! – burczał pod nosem Pucunio. – Wychowuję to, staram się, żeby na porządnego psa wyrosło. I zawsze temu Bursztynowi szczenięce figle w głowie. Weźmiesz ty ode mnie porządne wnyki za te wróble! – warknął do Bursztynka groźnie.

– A co mam robić? – spytał Bursztyn, oczochrawszy się z resztek wiórów.

– Dobry sobie! A co robi przyzwoity pies w taki upał? Śpi.

– A dlaczego ty nie śpisz?

– Bo muszę uważać na ciebie – odciął się Puc.

– Obejdzie się!

– Bursztyn, tylko niech ci się nie zdaje – zaczął Pucek i urwał, bo właśnie nad krzakami bzu polatywał duży motyl.

Puc już był gotów skoczyć do motyla, ale nie był pewien, czy dorosłemu psu, psu, z którego Bursztyn miał brać przykład, wypada upędzać się za motylkami. Podniósł się i patrzył, co robi Bursztyńsio.

A Bursztyn tego dnia był w przekornym usposobieniu. Ujrzawszy motyla, skoczył do niego.

– Zobaczysz, że będzie mój! – zawołał do Puca.

Pucunio ostrożnie nie odpowiedział nic na tę chwalbę. Czekał. A nuż się Bursztynowi uda schwytać motyla?

– Ja, jeśli zechcę, potrafię złapać każdego zwierza, który fruwa! – powiedział na wszelki wypadek.

Tymczasem Bursztyn ze skóry wyskakiwał, żeby schwytać motylka.

A, jak na złość, motyl był wielki, ciężki i polatywał tuż nad ziemią.

Wreszcie już mu się zdawało, że byle skoczyć w górę, zwierzyna mu nie ujdzie.

– Mam, mam! – zawołał z triumfem do Pucka, odbił się od ziemi i śmignął wysoko do góry.

– Co masz? Figę! – drwił Puc, bo motyl pofrunął na ogród i tyle go widzieli.

Za to Bursztyn zbierał potłuczone kości z ziemi.

– Smarkacz! – rzucił jeszcze z pogardą Puc i obrócił się do niego ogonem.

Bursztyn obraził się tym razem na dobre. Przyskoczył do Puca i nuż mu dogadywać:

– Smarkacz, smarkacz! Nibyś ty dorosły! A pamiętasz, jakeś zmykał przed Lordem?

– Nie zmykałem, tylkom się wycofał z towarzystwa. Nie lubię mieć do czynienia ze źle wychowanymi psami.

– A i teraz nudzisz się, bo żadnej przyzwoitej zabawy nie umiesz wymyślić.

– Bo mi się nie chce bawić.

– Nie chce ci się? – pytał drwiąco Bursztyn.

– A nie chce. Żebyś wiedział, że nie chce – upierał się Puc.
– Ba, żebym to ja chciał!

– To co?

– To nic – odburknął Pucunio i dla okazania, że rozmowę uważa za skończoną, przewrócił się na drugi bok.

Bursztyn widział, że się z Pucem nie dogada. Podreptał więc pod werandę.

Miały tam psy skład kości. Były to gnaty wylizane, wycmoktane, wygładzone do czysta. Żadnemu psu nie przychodziło do głowy, żeby się tymi kośćmi pożywić. Służyły one tylko do zabawy, na wszelki wypadek, kiedy nic innego, lepszego nie było.

O ten skład zabawek były ciągle walki pomiędzy psami i Katarzyną.

Ale bo kto mógł dać sobie radę z naszymi kundlami? Co pewien czas Katarzyna robiła w budach porządek. Wylatywało z nich wszystko na podwórze: słoma nie słoma, gałgany nie gałgany, kości nie kości. I wszystkie te nieprawości szły do śmietnika. Oprócz różnych szczotek, pantofli Katarzyny i wielu innych rzeczy, które, rozumie się, wracały do właściwego miejsca przeznaczenia.

Te porządki nie pomagały jednak nic.

Nie minął dzień, a Pucek, Bursztyn i inni nasi lokatorzy naznosili tyle bogactwa do swoich bud, że po czyszczeniu i wymiataniu nie zostawało nawet śladu.

Otóż Bursztyn poszedł do składziku w swojej budzie. Wyciągnął stamtąd baranią łopatkę przywleczoną ze śmietnika koło koszar. Chwycił gnat z najgrubszej strony w paszczękę i nuż nim targać. A warczał przy tym tak groźnie, że Puc uznał za stosowne obrócić się i spojrzeć, co się to wyrabia na podwórzu.

– Bursztyn, co ty wyprawiasz? – spytał go drwiąco i naumyślnie nie otwierał szeroko oczu, aby nie okazywać, że go barania łopatka cokolwiek obchodzi.

Bursztyńsio wpadł w dziki zapał. Miota się z kością jak oszalały. Już nie warczy, ale ryczy! A tak groźnie, jakby z samym lwem miał do czynienia.

Puc jeszcze się nie porusza. Lecz kiedy Bursztyn tuż przed samym jego nosem zamiótł kością, nie wytrzymał. Poderwał się i jak nie krzyknie:

– Bursztyn, położysz ty tę kość?

– Nie zawracaj mi głowy!

– Takiś ty! – ryknął Puc i skoczył do Bursztyńsia.

Co się stało na podwórzu, to trudno opisać.

Bielizna fruwała w powietrzu! Na co tylko psy wpadły – wszystko leciało w puch!

Omal nie stratowały kury Łysuchy. Byłyby rozgniotły koguta Białka, gdyby nie zdążył wskoczyć na pieniek, a stamtąd na drwalkę. Przewróciły kaczkę Melańcię. Końcem kości wziął w łepetynę kaczor Kacperek.

Na próżno Białek z daszku od drwalni wołał rozpaczliwym głosem:

– Alarm! Gwałt! Ratuj się, kto może!

Kacperek, kaczor, jak się ocknął nieco, podreptał za kratkę, gdzie był kurnik. Majtał obolałą głową i dogadywał:

– Tak, tak, tak! Strach, strach, strach, co te psy wyrabiają! Ja się stąd zaraz wynoszę. Zaraz, zaraz, zaraz! Melańcia! Idziemy! – wołał na żonę.

Melańcia odpowiedziała mu chrapliwym rykiem.

I nic dziwnego.

Ze strachu, chcąc uciec przed psami, wetknęła głowę w siatkę kurnika. I ani rusz nie mogła jej wyjąć. Im się bardziej szarpała, tym mocniej się wikłała.

– Ratunku! Duszę się! – darła się rozpaczliwie.

I byłaby się może naprawdę udusiła, gdyby nie psy. W gonitwie wpadły na Melańcię. Odbiły się od niej i z całego rozmachu łomotnęły w kratę, aż jęknęła. Głowa Melańci wyskoczyła sama z pęt.

Kaczka odskoczyła od kraty i co miała sił w nogach pędziła do męża.

– Ach, ach, ach! Jaka jestem zdenerwowana! – skarżyła się Kacperkowi.

Ale Kacperek nigdy nie brał sobie tego do serca, co nie dotyczyło jego samego.

– Gdzie są psy, tam mieszka niepewność – kwakał z powagą i rozwarł dziób, jakby miał jeszcze powiedzieć jakieś kacze przysłowie.

Ale nie powiedział nic, tylko majtnął parę razy zielonym ogonem i rzucił krótko:

– Do ogrodu!

I nie czekając na Melańcię, podreptał, przetaczając się na oba boki, ku parkanowi.

Był tam przełaz wygrzebany pod płotem. Przez tę dziurę ptactwo przemykało się do ogrodu.

Prześliznął się sam przez dziurę, za nim Melańcia. Gdy już byli po tamtej stronie parkanu, Kacperek się zatrzymał i kwaknął do żony:

– O ile się nie mylę, hałas na podwórzu nie ustaje.

– Dobrze mówisz, Kacperusiu, hałas na podwórzu nie ustaje – przytwierdziła Melańcia, która zawsze zgadzała się z mężem.

– Jeśli się nie mylę, sprawcami tego hałasu są psy. Czy zgodzisz się ze mną, Melańciu, że dotąd nie będzie porządku na świecie, dokąd, zamiast karmić tylko nas, człowiek w spódnicy będzie stawiał miski i dla tych drapichrustów, których nazywają psami?

– Zgadzam się z tobą, Kacperuniu – zaczęła Melańcia i nie skończyła.

Bo z podwórza doleciał taki wrzask, taki jazgot, taki gwałt, że Melańci głos uwiązł w dziobie.

Kacperek zadreptał w miejscu. Krzyknął:

– Naprzód! – i jak kula potoczył się przed siebie.

Za nim biegła potaczająca się Melańcia.

Chciała ona coś powiedzieć Kacperkowi. Ale wtem od strony podwórza huknęło coś jak z armaty. Kacperek wrzasnął:

– Za mną! – i oboje potoczyli się ku sadzawce w ogrodzie.

ROZDZIAŁ DRUGI

A na podwórzu rzeczywiście działy się rzeczy straszne. Psy goniły się z takim hałasem, że usłyszała to Katarzyna. Wypadła z kuchni i stanęła na progu.

– Jezus, Maria! Psy! A bodaj was! – krzyknęła i niewiele myśląc, schwyciła za wiadro z mydlinami i chlust – na Bursztyńsia i Pucunia.

Puc był właśnie wtedy na wierzchu. Wziął też tęgi prysznic.

Bursztyńsio oberwał tylko ścierką. Skorzystał z tego, że mydliny szczypały Pucka w oczy, i łap! za kość.

Obejrzał się, gdzie by tu ją pogryźć w wygodzie i spokoju. Zobaczył prześcieradło leżące na ziemi. Skoczył na nie.

Dopadła go tam Katarzyna. Łap za kark! Ale się jakoś wyrwał. Sunie przed siebie, a mierzy ku furtce.

Już miał szmyrgnąć w ulicę. Wtem furknęło mu coś nad głową. Obejrzał się. I to go zgubiło. Bo trzewik Katarzyny trafił go w kark, odbił się od Bursztyńsia i bęcnął w parkan.

Długo trwało, zanim Katarzyna pozbierała bieliznę z ziemi, otrzepała z piasku, a dobrze utytłaną w błocie zabrała do przepierki.

Pucunio przez cały ten czas siedział jak trusia w kąciku pomiędzy drwalką i parkanem i nie pokazywał się wcale. Wyglądał tylko ostrożnie jednym okiem, co i jak.

Nareszcie kiedy Katarzyna poszła do kuchni i drzwi się za nią zatrzasnęły, Puc wysunął się z kąta. Suchego włoska na nim nie było. A do tego ten ohydny zapach mydlin. Aż mu się mdło zrobiło, gdy sam siebie powąchał.

– Od razu wiedziałem, że ten smarkacz, ten szczeniak Bursztyn wplącze mnie w jakąś awanturę – wyrzekał. – Jak to mnie czuć! Ze dwa tygodnie nie będę się mógł pokazać w żadnym psim towarzystwie!

Rozglądał się po podwórzu. Szukał czegoś, w czym by się mógł wytarzać.

Ale, jak na złość, nie było pod ręką nic takiego, co stanowi psie perfumy. Ani zdechłej myszy, ani ptaka, nic. Zobaczył w kącie trochę zgniłej marchwi i kartofli, których Katarzyna nie zdążyła zakopać pod winogronami.

– No, to jeszcze jako tako pachnie! – powiedział sobie i nuż się tarzać.

Wytarł się tak, że mu się sierść zlepiła w strączki. Powąchał, kichnął i szepnął:

– Teraz to można wytrzymać! Tylko dobrze by było wytrzeć się o co.

Na sznurze wisiały koszule i kołnierzyki.

– W sam raz dla mnie – zdecydował Puc i przeszedł raz między bielizną, przeszedł drugi.

Za każdym razem na koszulach zostawały brudne smugi, a kołnierzyki wyglądały tak, jakby je kto zamoczył w kawie.

– Teraz się warto przespać! Ale lepiej Katarzynie zejść z oczu. Pranie! Nic dziwnego, że zła. Idźmy do ogrodu.

Poszedł.

A tam pod oknem rosły rdesty, takie dość rzadkie kwiaty, które świeżo sprowadzono z Warszawy.

Pucunio spojrzał w tę stronę i zdecydował, że miejsce dla niego jak ulał. Położył się. Ale że młode pędy rdestów kłuły go w boki, więc wstał.

– Zawsze tam, gdzie najlepsze miejsce do spania, muszą rosnąć dzikie chwaściska. Kłuje to, że wytrzymać nie można – pomrukiwał ze złością, bo mu się potężnie na sen zbierało.

I teraz zabrał się do oczyszczenia miejsca.

Szarpnął jeden młody pęd – wyrwał, targnął za drugi, trzeci. Czego nie mógł wyrwać, to zdeptał albo połamał. Nareszcie urządził sobie legowisko jak się patrzy. Umieścił się wygodnie, ziewnął i zaraz zasnął.

Zrazu spał jak kamień, nic mu się nie śniło. Ale po pewnym czasie poczęły mu się marzyć przygody z kością. On goni Bursztyna, Bursztyn ucieka tak prędko, że Puc ani rusz nie może go dogonić.

Na próżno majta nogami przez sen i poszczekuje cicho, tak jakby jęczał. Biegnie, biegnie, aż tu nagle Bursztyn frru! w górę!

Przygląda mu się Pucunio zdziwiony i dopiero teraz widzi, że to nie Bursztyn. I nie wróble! Ale motyl! Macha skrzydełkami, macha. Skrzydła stają się coraz większe, czerwienieją, nabierają plam czy pasów. Co to?

Toż to Katarzyna fruwa w powietrzu! Jeszcze tego brakowało! Jak tu się przed nią ukryć!

Kręci się po podwórzu biedny Pucunio, jak może, a Katarzyna wciąż nad nim ścierką wywija.

– Aj! – jęknął przez sen i obudził się.

Rozejrzał się dokoła, Katarzyny wprawdzie nie zobaczył w powietrzu, ale spostrzegł, że go coś w bok uwiera. Ostatnia żywa gałązka rdestu.

Uciął ją zębami przy samej ziemi, obrócił się na drugi bok i znów zamknął oczy.

Przyśnił mu się wtedy sen rozkoszny.

Zdawało mu się, że jest przed sklepem rzeźnika, tego, do którego Katarzyna zawsze chodziła po mięso. Rzeźnik był gbur i człowiek z gruntu nieużyty. Nigdy nie pozwolił wpaść psom, choćby na jedną chwileczkę, do jatki. A tym razem nie tylko nie zauważył Puca, jak się wkradł za Katarzyną, nie tylko nie krzyknął na niego, nie złapał za kark i nie wyrzucił za drzwi, ale udawał, że nie widzi, jak Puc łasuje z niecki te ochłapy, te zrzyneczki rozkoszne, na które wszystkim psom z okolicy ślinka ciekła do pyszczków.

Rozżarł się Puc, o bożym świecie nie wie!

Wtem wpada do jatki Karo. Buldog. Potwór. Zacięty wróg Puca i wszystkich psów w mieście. Puc do niego. Karo w nogi. Łapać go! Wypadły na rynek.

Ale co to? Jakieś kamienie lecą z góry. Jeden, drugi, trzeci. Oj, boli, boli!

– Ajajaj! – krzyczy Puc, otworzył oczy, spojrzał i jak szalony skoczył przed siebie z podwiniętym ogonem.

Nie oparł się aż na ulicy. Obejrzał się za siebie. Katarzyna jeszcze mu wygrażała kijem.

– Dam ja ci, nie bój się. Weźmiesz ty za swoje. Tylko przyjdziesz do domu – obiecywała psu.

– Niegłupim – szepnął Puc w odpowiedzi i lekkim dyrdaczkiem pomknął w stronę rynku.

Do rogu ulicy miał ogon opuszczony i stąpał niepewnie. Na rogu obejrzał się jeszcze raz na dom. Katarzyny już nie było widać. Podniósł więc ogon do góry jak kitę i wolno, nie spiesząc się, godnie sunął przed siebie.

Na rynku pod studnią zbierało się o każdej porze najprzedniejsze psie towarzystwo z całego miasta. Zawsze trafić tam można było na kogoś, z kim i porozmawiać przyjemnie, i pobawić się miło.

Dziś prowadził zabawy Kucuś, pies wysoko ceniony dla swego naprawdę miłego charakteru.

– Ósemka czy wyścigi? – pytał uprzejmie. – Co panowie wolą?

Wybrano ósemkę. Dokoła studni i latarni. Już się ustawiono, już miała się zacząć zabawa, gdy wtem w sam środek koła wpadł Bursztyn.

– Już po tobie! – krzyknął Puc i skoczył do niego. – Toś ty przyczyną tego wszystkiego! Teraz podwieczorek, a ja w domu pokazać się nie mogę!

Bursztyn zdążył krzyknąć:

– Wielka nowina! – i zmykał, bo Puc miał taką minę, że żartować z nim było niebezpiecznie.

– Tchórz! – ryknął Pucek i rwał przed siebie.

Bursztyn zmykał, aż się za nim kurzyło. Co chwila jednak obracał się za siebie i wołał:

– Puc! Przestań! Nowina!

– Ja ci dam nowinę!

– Bryczka przed domem!

– Znam ja twoją bryczkę! – charczał Pucunio, nie zwalniając biegu.

– I pan, i Krysia siedzą już!

– Ja ci posiedzę! Stój!

Bursztyn byłby może i stanął, ale już było za późno. Z rozpędu podciął nogi jakiejś pani, że omal nie upadła, wpadł na jakiegoś jegomościa, który zajadał wiśnie. Upadła torba, wiśnie się rozsypały, jegomość porwał za laskę. Ale Bursztyn już zrzucił ze stołka straganiarkę, wpadł pod koła wozu, ledwie go nie przejechali, wreszcie dopadł przeciwległego chodnika i stamtąd krzyknął:

– Puc, spiesz się, bo zaraz ruszą!

Pucek zmiarkował, że to prawda, co mu Bursztyn powiedział.

Skoczył za nim.

Po drodze oberwał parasolką od damy, laską od jegomościa z wiśniami, zgniłym pomidorem od przekupki.

Zamroczyło go trochę, więc usiadł na chodniku i obejrzał się. Bursztyna już nie było.

Puścił się więc ku domowi. Patrzy – przed furtką pusto.

Co tu robić?

Wtem gdzieś, na samym końcu ulicy, zamajaczyło coś niby Bursztyn.

– Ojejej! – jęknął i wyrwał takiego galopa, że aż mu uszy fruwały.

Nareszcie bryczka tuż, tuż. Wywiesił więc język do ziemi, sapał i biegł dobrego truchta.

Powiada do niego Bursztyn:

– A widzisz? A nie mówiłem? Byłbyś się spóźnił!

Puc spojrzał na niego dość przyjaźnie.

– Niech ci tam! Sztama. Co mamy się sprzeczać!

Spotkała ich Plotka.

– Chodźcie, chodźcie! – wołała na nich. – Króliki są w ogrodzie!

– Nie zawracać nam teraz głowy! Nie widzisz to, że jedziemy z naszym panem?

A miały takie miny dumne i wspaniałe, jakby to naprawdę one jechały.

ROZDZIAŁ TRZECI

Bryczka zatrzymała się przed dworcem. Pełno tam było ludzi. Pociąg z Warszawy miał przyjść lada chwila.

Szepnął Bursztynowi Pucek, pies bywały, który często chodził na dworzec:

– A uważaj tylko na tego, co to stoi we drzwiach. To gbur.

Bursztyn podszedł do drzwi. Spostrzegł, że ten, co odbierał bilety, zapatrzył się w inną stronę, więc szmyrg! tuż pod jego nogami.

– Pójdziesz! Gdzie? Wynocha! – krzyknął na niego bileter.

Ale Bursztyn niewiele sobie robił z tych krzyków. Odskoczył kilka kroków, spojrzał na niego z pogardą i szczeknął:

– Ogromniem się przeląkł! Będzie mi tu groził! Nie widzisz, że z państwem idę? – i zamiótł za sobą nogami.

Ruszył naprzód w podskokach, pewny siebie jak nigdy.

Nie spostrzegł się, że właśnie nadjeżdżał pociąg.

Huknęło mu, stuknęło tuż nad głową, parowóz gwizdnął przeraźliwie! Bursztyńsio przysiadł, skurczył się tak, że zupełnie rozpłaszczył się na ziemi.

– Ratunku! – wrzasnął nieswoim głosem, podwinął ogon pod siebie – i w nogi.

Biegł jak oszalały wzdłuż toru. Nic nie widział, nic nie słyszał. Łomotnął głową o jakiś pieniek, odbił się, stoczył do rowu i przepadł w trawie.

– A co? Nie mówiłem? Ten Bursztyn zawsze się zachowuje jak smarkacz – skrzywił się Puc, który patrzył z politowaniem i wyższością na Bursztyńsiowe wyścigi.

Tymczasem z pociągu zaczęli wysiadać podróżni. Puc pociągał za każdym wysiadającym nosem, obwąchiwał.

– Sami obcy – dziwił się. – Ten jest rzeźnik, już wiem. Tę babę czuć mlekiem. A ta, co ma w koszyku? – zaciekawił się i biegł parę kroków za kobieciną, która dźwigała po wielkim koszu na obydwóch ramionach. – Już wiem, masło, masło! – ucieszył się i nagle począł kręcić nosem i parskać. – Co to jest? – wyrzekał. – Toż to ten sam mdły zapach, jaki czuć w szafie, w której Katarzyna chowa futra na zimę.

Stanął i spoglądał ciekawie w stronę, skąd go dziwny zapach dochodził.

Zobaczył, jak z drzwi wagonu wyjrzało najpierw małe pudło. Za nim większe. Później jeszcze większe. Widział, że Krysia odbiera od kogoś niewidzialnego jedno pudełko po drugim, ustawia je obok siebie na ziemi. Po pudełkach przyszła kolej na koszyki, koszyczki, tobołki, zawiniątka.

Cała góra się tego zebrała!

Pies aż przysiadł na zadzie ze zdziwienia.

Ale się zdumiał naprawdę dopiero wtedy, kiedy za wszystkimi zawiniątkami ukazała się postać długa, sucha, koścista, z nosem jak pogrzebacz, na którym siedziały okularzyska, wielkie niby talerze.

– A to kto? – dziwił się Puc. – Katarzyna, tylko jeszcze gorsza? Mało było jednej, jeszcze drugą sobie sprowadzili, czy co?

Badylowata dama miała na ręku dwa koszyczki, podała je Krysi i powiedziała skrzypliwym a słodyczkowatym głosem:

– Tylko ostrożnie, dziecinko, tylko ostrożnie! Mikaduchna śpi! Śpi – powtórzyła pieszczotliwie. – A Tiuzdunio przez całą drogę był bardzo zdenerwowany. Boję się o niego. On taki delikatny. A taki do mnie przywiązany!

Krysia wzięła obydwa koszyki do rąk. Puc zaciągnął się zapachem.

„O, jej! A to co?" – pomyślał i zaczął się gwałtem przepychać do koszyków.

Spostrzegła to dama.

– Precz! Pójdziesz! – zawołała na niego i zaczęła odpędzać Puca od koszy, w których były zamknięte jej skarby.

– To nasz Pucek – przedstawiła psa Krysia.

– A, to wasz pies – uspokoiła się dama. – Spodziewam się, że jest dobrze wychowany i że moim skarbuńciom nie zrobi krzywdy.

– Pucunio? Krzywdy? Nigdy w świecie, proszę pani. Pucek, przywitaj się z panią!

Pucunio był psem dobrze wychowanym i umiał się znaleźć w towarzystwie.

Nie z wielką wprawdzie chęcią, bo mu obca pani nie bardzo przypadła do serca, ale przez przyzwoitość skoczył do niej w pięknych podrygach i zaczął ją obszczekiwać, skakać do rąk, łasić się.

– Ależ to nieznośny kundel! – broniła się dama. – No, już dość tych czułości! Patrzcie, jakie on ma brudne łapy! Krystynko, jak często kąpiesz swoje pieski?

Puc był pies mądry. Poczuł, że pomiędzy nim a przyjezdną damą nie będzie sympatii. Odskoczył i chciał jej odpowiedzieć:

– Moja pani, kąpię to ja się sam! I to w każdej wodzie, na jaką tylko natrafię. Nie jestem brudas. O, nie! – ale się rozmyślił, zmilczał i pobiegł ku Bursztynowi, który właśnie pokazał się na dworcu.

– Widziałeś? – szepnął do niego. – Ładna dama, co? A wiesz, co tam jest w tych koszykach?

– No?

– Psy!

– Psy? – zdziwił się Bursztyn.

– A psy. I to ci powiem, że psa, który by tak pachniał, jak tamte, póki żyję, nie spotkałem. Co to się będzie działo, jak one się pokażą na rynku! Wstyd!

– Każdy będzie wiedział, że to z naszego domu – zmartwił się Bursztyn.

– Jak my się z nimi innym psom na oczy pokażemy?!

– Patrz no, patrz! – zawołał Bursztyn i aż kucnął ze zdumienia, a oczy mu się zrobiły wielkie jak talary.

Każdy by się zresztą zdziwił, nie tylko pies.

Przyjezdna pani wyjęła z koszyka Tiuzdejka, który miał na sobie fraczek w kratkę pomidorową z zielonym!

– Wstyd i ohyda! – zdecydował Puc. – Idziemy do domu.

Poszły. Nie obejrzały się nawet za siebie.

ROZDZIAŁ CZWARTY

Wróciły na rynek.

Zastały tam jeszcze całe towarzystwo. Kucuś przerwał zabawę. Obwąchał starannie obydwa psy i spytał uprzejmie:

– Co panowie jedli? Co u państwa słychać?

Bursztyńsio już otworzył paszczękę i bąknął coś o przybyszach, ale go Puc zaraz osadził.

– Milcz! Będzie dość czasu na to, żeby się hańby najeść do syta. Bawmy się! – powiedział do Kucunia i choć to nie było w jego zwyczaju, od razu się zgodził na pierwszą lepszą grę, jaką mu zaproponowano.

Minął pewien czas. Zabawa szła na całego. Nagle Bursztyńsio, który był żarłokiem i bardzo nie lubił, gdy mu głód dokuczał, zatrzymał Puca i powiada:

– Puc, dość tych igraszek, idziemy na kolację!

Pucunio spojrzał na niego. Skrzywił się.

– To ty nie wiesz, że jak są goście, to Katarzyna spóźnia się z kolacją? Żebyś teraz nie wiem jak płakał, nie dostaniesz ani krzynki.

– To ci los! – jęknął Bursztyńsio.

I aż w nim kipiało na myśl, jakie to nieszczęście dla całego domu przyniosły ze sobą te zamorskie potwory, które spadły im na głowę.

Musiał Bursztyn wierzyć Pucowi na słowo. Pucunio znał dom, no i Katarzynę. Nie wyrywał się więc do domu. Usiłował bawić się w dalszym ciągu.

Lecz co to za zabawa o pustym żołądku?

Bursztyńsio biegał wprawdzie w ósemkę, ale jakby od niechcenia, szczekał, ale coraz ciszej. Wreszcie krzyknął Pucowi:

– Niech się dzieje, co chce, ja wracam do domu! – i co sił w nogach sadził przed siebie.

Puc za nim.

Wpadły obydwa w podwórze. Bursztyńsio jak w dym pobiegł wprost do kuchni. Zamknięta.

– Co to jest? – krzyknął głosem ostatniej rozpaczy.

– Ano, goście – burknął Puc. – Zacznie się teraz chiński taniec. Ja to znam. Nauczysz się i ty.

– Chiński taniec? Co mi tam po chińskim tańcu! Ja się nie dam uczyć chińskiego tańca! – kaprysił Bursztyńsio.

A trzeba wam wiedzieć, że Bursztyńsio był dziwnie niechętnym i, powiedziawszy nawet szczerze, krnąbrnym uczniem. Krótko – leń. Ani mu w głowie było nauczyć się czegokolwiek, choćby najprostszych rzeczy.

W kącie za kredensem była psia szkoła. Każdy nasz pies po kolei chodził do szkoły.

Nauka rozpoczynała się od służenia. Psy na ogół uczyły się chętnie. Ba, nawet były pomiędzy nimi nie lada uczone. Pucunio na przykład nie tylko umiał służyć, chodzić na tylnych nogach, ale wystarczyło powiedzieć:

– Puc, tańczyć! – i zagwizdać jakąś melodię.

Pucunio zrywał się, stawał w pozycji i wycinał takiego psiego oberka, że przyjemnie było patrzeć.

Umiał on też podawać łapę, potrafił na rozkaz otwierać drzwi, skacząc do klamki. Był to pies naprawdę uczony, pies sztukmistrz całą gębą.

Umiał się myć. Trzeba było tylko się zdziwić:

– Puc, fe, jakie ty masz brudne uszy!

Pucunio wnet stawał na tylnych łapkach i przednimi wycierał sobie uszy. A z takim zapałem, że zdawało się, iż je sobie urwie.

Umiał też przemawiać. I to publicznie. Wypowiadał takie mowy, że aż ha!

Podczas obiadów czy kolacji Puc siadywał zwykle na krześle przy stole. Nie spuszczał wzroku z tego, co się działo na obrusie. Co pewien czas spoglądał nam w oczy. Czekał tylko na to, żeby któreś z nas powiedziało:

– Puc, powiedz no mowę!

Wtedy zrywał się, opierał przednimi łapkami o stół i poszczekiwał głosem poważnym, jakby coś opowiadał. Jeśli mu ktoś powiedział:

– To tak było, Pucuniu? Naprawdę? Biedny piesek!

Wówczas Pucunio się wzruszał i swoją mowę wygłaszał coraz bardziej płaczliwie.

Kończył jednak natychmiast i urywał w pół zdania, kiedy dostał coś do zjedzenia.

Wtedy chwytał to, co mu dano, i biegł do kąta. Leżała tam gazeta. Był to psi obrus. Bo Pucek, a nawet i Bursztyn jadały w pokoju tylko na psim obrusie.

Takie to psie uczoności chodziły po domu.

A Bursztyńsio? Bursztyńsio był zupełny wyrodek.

Chodził i on wprawdzie do psiej szkoły, w kąt za kredensem.

Ale co to była za nauka!

Do zachrypnięcia można mu było powtarzać: „Służ, służ”, pokazywać, jak należy kucnąć na tylnych nogach, kusić Bursztyna kawałkami kiełbasy, za którą przepadał.

Na nic się to wszystko zdało.

Bursztyńsio udawał, że się zupełnie w kącie utrzymać nie może. Jak kłoda, tak ciężko walił się na podłogę.

A zawsze jakoś tak wymiarkował, żeby do kiełbasy było najbliżej i żeby ją niby niechcący można było chwycić w zęby.

I Krysia się biedziła nad Bursztynem, i ja, i Katarzyna, która mu perswadowała i dobrym słowem, i rózgą. Na nic. Bursztyńsio się uparł. Powiedział sobie:

– Nie bójcie się! Już ja się nie dam! Prędzej wam się znudzi niż mnie!

No i przetrzymał. Bo daliśmy wreszcie za wygraną. Nikt już z Bursztyńsia nie usiłował zrobić uczonego psa. Został on na całe życie nieukiem, ordynarnym kundlem, który nawet służyć nie potrafi.

Nic więc dziwnego, że na wspomnienie o chińskim tańcu rozpłakał się Bursztyńsio na dobre.

Puc słuchał jęków z obrzydzeniem. Znudziło mu się wreszcie skamlanie i krzyknął:

– Bursztyn, dość! Nie drzyj się! Weźmiesz od Katarzyny, ani się obejrzysz!

I dziwnie rychło sprawdziła się ta przepowiednia!

Uchyliły się drzwi. Więc Bursztyńsio chlust! w szparę. I nagle: pisk, wrzask, ręka Katarzyny, koziołek w powietrzu na środek podwórza i bolesny jęk Bursztyńsia:

– Oj, oj, oj!

– A widzisz! – warknął Puc. – Nie mówiłem ci, że jak są goście, to się rozpoczyna chiński taniec? Teraz się nauczyłeś chińskiego tańca. Teraz będziesz wiedział, że jak są goście, to nic w całym domu nie dzieje się o zwykłej porze, kuchnia jest zamknięta, a Katarzyna zła jak chrzan.

Bursztyńsio, jak tylko się nieco otrząsnął z upadku, zabrał się do poszukiwań.

Przede wszystkim wylizał do czysta swoją miskę.

Nie było tam wiele, ale zawsze starczyło na jeden ząb. Brząkał miską po przymurku, aż się rozlegało. Wyjadł wszystkie marchwie i pietruszki, na które w zwykłym czasie nawet nie raczył spojrzeć i wywlekał daleko ze swojej miski, trzymając je z obrzydzeniem ledwie końcem zębów.

Rozjadł się.

Doszedł do przekonania, że i w Pucowej misce są jeszcze wcale niezłe resztki. Podsunął się ku niej. Ale ledwie w nią brzęknął, zerwał się Puc i krzyknął:

– Ty, co robisz? Twoje?

I za kark Bursztyńsia.

– Pucuniu, daruj! – jęknął Bursztyńsio. – W twojej misce nie ma ani źdźiebełka.

Puc puścił Bursztyna. Zajrzał do swojej miski. Rzeczywiście nie było tam nic. Dla porządku jednak wylizał wszystko do czysta. I powiada:

– Wiesz, co robi porządny pies, kiedy musi czekać? Zasypia głód.

Cóż pozostawało biednym psiakom?

Poszły spać.

Ułożyły się jednak tak, żeby nawet przez sen nie tracić z oczu drzwi od kuchni i żeby w razie czego wiedzieć, co się dzieje na ulicy.

Spały już dobrą chwilę. Nagle Puc podniósł głowę i nastawił uszy. Bursztyńsio spytał go cicho:

– Co?

– Cicho – szepnął Puc. – W krzaki!

Obydwa psy skoczyły w jaśminy.

– Nie widzę nic – skarżył się Bursztyńsio.

– Jak cię utnę dobrze, to zobaczysz. Uwaga!

Ulicą wolno, ostrożnie biegł Lord, buldog. Trzymał w pysku coś wielkiego. Oglądał się niepewnie dokoła. Badał, czy go ktoś nie śledzi.

– Za nim! – skomenderował Puc. – Tylko ani mru-mru.

Psy wybiegły na ulicę i chyłkiem tuż pod parkanem skradały się za Lordem.

Buldog przebiegł ulicę. Skręcił w prawo. Tam zaraz za domem rozpoczynało się orne pole.

Lord obejrzał się jeszcze raz. Nie dostrzegł nic podejrzanego. Szybko wykopał w zaoranej ziemi dół, wrzucił to, co niósł. Obejrzał się. I zasypał dół starannie ziemią.

Skończył. Znów się obejrzał dokoła.

Akurat właśnie Bursztyńsio wysunął się naprzód. Puc rzucił się na niego. Zakłębiło się na ziemi.

Lord spojrzał na psy krwawym zezem. Już miał się na nie rzucić, ale się uspokoił.

„Gryzą się. To dobrze. Nie widziały, gdzie zakopałem skarb" – pomyślał i ruszył wolno przed siebie.

Gdy tylko Lord zginął Pucowi z oczu, puścił on Bursztyńsia.

– Dostaniesz jeszcze lepiej, jak się nie będziesz pilnował – zapowiedział mu surowo. – A teraz chodź.

Psy pobiegły do miejsca, gdzie Lord kopał. Puc natychmiast odkopał skarb.

– Wątroba! Cała wątroba! – zachłysnął się z zachwytu.

Była to rzeczywiście wołowa wątroba, którą Lord skądsiś zdobył. Buldog był wielki i silny. Co tam dla takiego psa było nieść szmat mięsa? Mucha. Ale Pucunio i Bursztyn napociły się niemało, zanim zdobycz zawlokły do ogrodu. Siadły teraz spokojnie obok siebie i rwały ochłap.

Jadły, jadły i jadły.
Po uczcie resztę zakopały pod różą.
I poszły spać do budy.
Kiedy Katarzyna nalała im jedzenia do miski, już spały w najlepsze. Puc ledwo raczył otworzyć oczy. Bursztyńsio nie wytrzymał. Zerwał się i pobiegł do miski.
Zjadł, co było. Ale wybredzał! Powyjadał najpierw samo mięso ze spodu, kaszę ledwie raczył parę razy skubnąć, a na marchew, pietruszkę i kartofle nawet nie spojrzał.

ROZDZIAŁ PIĄTY

Tymczasem w domu działy się rzeczy niezwykłe.

Właścicielkę Tiuzdejka i Mikaduchny... nazwijmy panną Agatą, dobrze?

Psom zostawmy imiona prawdziwe.

Mikaduchna nazywał się tak, gdyż, jak twierdziła jego pani, miał on być rasy japońskiej. A wiecie, że mikado jest to tytuł cesarza japońskiego.

Tiuzdejek zaś został nazwany Tiuzdejkiem dlatego, że pani jego otrzymała go we wtorek. Że był podobno rasy angielskiej, i to ponoć bardzo rzadkiej, więc się z angielska nazywał Wtorek, po angielsku Tiuzdej. (Pisze się całkiem inaczej, ale tak się mniej więcej wymawia).

Dziwne imię, prawda? Ale skoro Robinsonowi wolno było mieć swego Piętaszka, to i pannie Agacie wolno było mieć swojego Wtoraczka.

W każdym razie, jak widzicie, nasze psy miały gości nie byle jakich. Sama psia arystokracja.

Rasa!

Nie takie kundle, jak Pucunio i Bursztyńsio, co to niby się zapowiadały na foksa, ale jak podrosły nieco, wyskoczył z nich niespodzianie i wyżeł, i jamnik, i kawałek wilczura, i wszystkie, zresztą szlachetne a znane, psie rasy, oprócz niektórych mniej szlachetnych, no i mniej znanych.

Otóż te prawdziwe perły psiego rodu, Mikaduchna i Tiuzdejek, zostały w koszykach załadowane na bryczkę. Przez cały czas jazdy panna Agata drżała z niepokoju, czy aby jazda po wyboistym bruku nie zaszkodzi jej skarbuńciom. Trzeba było jechać noga za nogą, jakby kto wiózł nadpęknięte garnki.

Ledwie bryczka stanęła przed domem, już był nowy kłopot. Czy Mikaduchna łatwo się przyzwyczai do nowego mieszkania? A czy Tiuzdejkowi będą smakowały kotleciki z wątróbki?

Możecie sobie wyobrazić, jak się ucieszyła Katarzyna, kiedy się dowiedziała, że angielskiemu elegantowi ma trzy razy na dzień smażyć siekane kotleciki na świeżym maśle i ze świeżej cielęcej wątróbki. Płomienie jej przeszły przez twarz. Widziałem, że ma jakieś niebaczne słowo na końcu języka. Katarzyna miała wymowę łatwą a przykrą, gdy była zła.

Ledwiem ją udobruchał. Ale do psów dotknąć się nie chciała.

Krysia wyjęła naszych psich gości z bryczki i zaniosła ich w koszykach do domu. Chciała postawić je w kuchni.

Kiedy panna Agata to zobaczyła, wyrwała jej koszyk z rąk, do głębi serca oburzona.

– Tiuzdejek jest świeżo po katarze. Nie znosi przeciągu. Proszę go umieścić w zacisznym miejscu! – zawołała.

I zaczęło się bieganie po całym domu w poszukiwaniu zacisznego miejsca dla Tiuzdejka.

Ulokowano go nareszcie pod stołem w jadalni.

Mikaduchna z koszem znalazł się za szafą przy piecu.

Dlaczego?

Podobno dlatego, że pochodził z ciepłych krajów.

Choć, prawdę powiedziawszy, u nas było lato, słońce prażyło żywym ogniem, więc było dość ciepło nawet dla japońskiego elegancika. Za to piec był zimny jak lodownia.

Tiuzdejek, ledwie go ustawiono na miejscu, podniósł się na swojej poduszce, ziewnął przeraźliwie, skrzywił się, jakby miał cytrynę w pyszczku, i zaczął się pogardliwie rozglądać dokoła wyłupiastymi oczyma.

– Wcale mi się tu nie podoba! Co to za dom? Co to za ludzie? Chodzą i chodzą, a biedny, chory pies spokoju nie ma – narzekał.

Ale widać chciał się bliżej poznać z naszym domem, bo wylazł z kosza.

Jakież to psisko miało długie nogi!

Zdawało się, jakby chodził na szczudłach!

Idąc, podnosił nogi wysoko, jakby je z błota wyciągał. Przełamane to było, jakieś koślawe. A złe! Po oczach widać było, że najchętniej byłby nas uciął każdego z osobna i wszystkich razem swoimi pożółkłymi zębami.

Może tam Tiuzdejek był nawet wysokiej rasy, ale że nie był nadmiernie urodziwy, to pewne.

Tiuzdejek obszedł, drepcząc koślawego dyrdaczka, całą jadalnię. Zapuścił się nawet do sieni, przez którą przechodziło się do kuchni.

I tam właśnie trafił na kotkę Imkę, która zeskoczyła z szafy i szła na spacer.

Kocica skamieniała na widok psa we fraku. Zrazu przypadła do ziemi. Aż nagle, jak się wygnie w pałąk, jak parsknie, jak wrzaśnie:

– Precz, precz, precz!

I pac! z jednej strony, pac! z drugiej!

Wziął dobrze angielski lord po skiszonej buzi.

Zaskomlał, zapiszczał, zajęczał i skoczył do swojej pani.

Awantura!

– Jak można trzymać u siebie w domu takiego wściekłego potwora! Mój Tiuzdejek jest taki nerwowy! O, jak mu

serduszko bije! Okaleczyła go ta szalona kotka. A może ona jest wściekła?

Tu już Katarzyna nie wytrzymała:

– Może pani pies jest i nerwowy, ale żeby nasza kotka była wściekła albo szalona, to sobie wypraszam.

I wyszła do kuchni, trzasnąwszy za sobą drzwiami.

Pomimo to jednak, nie chcąc być niegościnną względem panny Agaty i sprawiać jej przykrości przez ciągłą obawę o to, że kocica mogłaby pokiereszować jej Tiuzdejka, Katarzyna wyrzuciła Imkę na podwórze i zamknęła za nią drzwi do sionki na zamek.

Dlatego to psy nie mogły się dostać do kuchni.

Tiuzdejek na pociechę dostał kotlecik.

Był tak łaskaw, że go zjadł. Choć muszę się przyznać, że kotlet był wprawdzie skrobany, ale ze zwyczajnej cielęciny. Wieczorem wątróbki dostać nie było można.

Mikaduchna... O, Mikaduchna był zupełnie inny!

Nie mazał się, nie kaprysił.

Wyszedł z kosza, obszedł i obwąchał starannie wszystkie kąty w domu. Robił to z powagą i skupieniem. Przyjrzał się nam wszystkim po kolei.

Gdyby nie to, że był maleńki, mniejszy niż Pucunio, to znaczy, sięgał mi do pół łydki najwyżej, można by było powiedzieć, że spoglądał na nas z góry.

– Coście wy za jedni? – pytał nas wzrokiem.

Krysia próbowała go pogłaskać. Pokazał jej zęby.

– Tylko bez poufałości – oświadczył krótko.

– Mikaduchna, złotko, skarbuńciu – usiłowała go mitygować panna Agata.

Wzięła go na ręce. Mikaduchna jednak pieszczot w ogóle nie lubił. Wyrwał się pannie Agacie i skoczył na fotel. Obej-

rzał się na nas i przybrał minę tak wspaniałą, że bez kija ani przystąp.

– Co to za dystyngowana postać, prawdziwie królewskie spojrzenie, mikado, naprawdę mikado – zachwycała się nim panna Agata, podziwiając miny japońskiego pieska, który istotnie siedział na fotelu tak, jak na złotolitym tronie.

Podczas kolacji Tiuzdejek, powiedzmy to od razu i bez osłonek, był niemożliwy, wprost nieznośny.

Nie widziałem psa tak dokuczliwego.

Wpakował się Krysi na kolana. Ale wcale nie po to, aby tam leżeć spokojnie. Co chwila wybiegał na spacer po stole.

Tego jak świat światem w naszym domu nie bywało, żeby się psisko miało wałęsać po obrusie między talerzami.

Krysia nie puszczała skarbuńcia panny Agaty z kolan. Tiuzdej wściekł się ze złości, że mu się kto ośmiela sprzeciwiać. Warczał, parskał, piszczał i raz po raz chwytał Krysię zębami za ręce.

Trzeba przyznać, że Tiuzdejek tak się zabawnie złościł, taki był w swej irytacji śmieszny, iż ochota brała podokuczać trochę zrzędzie, który ani przez chwilę nie przestawał się gniewać.

Mikaduchna za to ani raczył się obejrzeć, gdy nakrywano do stołu. Zawołany, podszedł, obszedł stół dokoła, przyglądał się siedzącym i wreszcie skoczył mi na kolana. Rozejrzał się po stole i spojrzał mi w oczy z wymówką:

– To ty nie wiesz, że ja wieczorem pijam herbatę, dobrze osłodzoną i zasypaną bułką?

Dałem mu herbaty i bułki na spodeczku. Zjadł. A tak starannie, czysto, schludnie, że niejeden człowiek mógłby się od Mikada nauczyć, jak się należy zachowywać przy stole.

Wylizał sobie starannie kosmaty pyszczek i natychmiast zeskoczył z kolan na ziemię.

Poszedł na swój fotel, położył się i jednym okiem spoglądał, znakomicie obojętny na to, co się wkoło niego działo.

Wtem na podwórzu rozległ się dziki wrzask Bursztynśia. Szczekał on zawsze tak, jakby ktoś śpiewał, mając jednocześnie czkawkę.

Spojrzeliśmy po sobie z Krysią. Pomyśleliśmy jednocześnie:

„Co to będzie jutro? Jak te nasze domowe skarbuńcie przywitają się z gośćmi?".

ROZDZIAŁ SZÓSTY

Na podwórzu stała tylko jedna psia buda.

Miała ona parter i piętro.

To piętro powstało samo przez się. Katarzyna kiedyś na zimę zrobiła w budzie sufit ze słomianki, żeby psom było cieplej. Ale Bursztyńsiowi pomysł z sufitem nie przypadł jakoś do smaku.

Póty majstrował, póty szarpał zębami, aż wreszcie naderwał słomiankę z jednego boku. I wtedy to, pomiędzy oderwanym sufitem a daszkiem budy, wytworzyło się pięterko. Okazało się, że było ono potrzebne. Miało własnego lokatora.

Odtąd bowiem na parterze budy sypiały psy, na poddaszu zaś koty. Dawniej rezydowała tam Europa, teraz sypiała Imka.

Z samego rana, jak tylko Katarzyna skrzypnęła drzwiami od sieni, w psiej budzie rozpoczął się ruch. Pierwszy wytoczył się Bursztyńsio. Wypchnął go Puc.

Puc jak zawsze wyszedł z budy godnie. Wyciągnął za siebie jedną tylną nogę, później drugą. Otrząsnął się. Spojrzał na Bursztyna i powiedział ostro:

– Bursztyn, obudź się! Już czas. Rozumiesz czy nie?

Bursztyńsio był śpiochem nad śpiochy. Stał przy budzie i chwiał się na nogach jak nieprzytomny.

– Bursztyn! – krzyknął na niego Puc. – Obudź się, słyszałeś?

Bursztyn otworzył jedno oko mętne i zaspane. Nie odpowiedział nic. Usiadł na ogonie. Rozdarł paszczękę i ziewał.

Ale jak ziewał!

Aż się wstrząsał cały po każdym ziewnięciu.

Wreszcie kichnął potężnie raz, kichnął drugi, obejrzał się. I nagle zerwał się z ziemi i zawrócił do budy.

– Ty dokąd? – pyta go Puc.

– Dajcie mi się wyspać – błagał Bursztyńsio.

– To ty nie wiesz, że Katarzyna za chwilę wyjdzie na podwórze?

– Wszystko mi jedno – mamrotał Bursztyńsio i pakował się z powrotem do budy.

Ale już stamtąd lekkim kroczkiem, przeciągając się i wyginając, wychodziła Imka. Wcale nie miała ochoty ustępować Bursztyńsiowi.

– Zejdź mi z drogi, ty śpiochu, ty niedojdo! – krzyknęła na niego z góry.

Bursztyńsio nie odrzekł ani słowa. Pchał się gwałtem do budy. Kocica dała mu raz i drugi po zaspanej łepetynie. Bursztyńsio wrzasnął:

– Co to jest? Co to za porządki? – i uciekł pod kurnik.

Trzeba wam wiedzieć, że Imka krótko trzymała psy. Siadywała ona zawsze gdzieś wysoko i spoglądała z góry na bawiące się szczenięta. Wodziła za nimi bursztynowymi oczyma. Uważała, co robią.

Niech no się psy zbytnio rozfiglowały, niech pohałasowały niepotrzebnie w pokoju albo na podwórzu!

Jak piorun z jasnego nieba spadała wtedy Imka na psiaki.

Brały one wnyki, i to porządne, bo kocica żartować nie lubiła.

Nic dziwnego więc, że Puc i Bursztyn bały się kotki, gdy były małe. Nie przestały się jej bać, choć podrosły. Sypiały z nią razem, bawiły się nieraz, ale miały przed nią respekt.

I dlatego Bursztyn jak niepyszny uciekł z budy, gdy mu tylko kocica kazała się wynosić.

Usiadł pod kurnikiem.

Rozpoczął ranną toaletę. Wodził pyszczkiem po całym ciele, nie wyłączając ogona. Kłapał zawzięcie zębami.

Co robił? Łatwo się domyślić, że walczył z pchłami. Jak wiecie, Bursztyn bał się wody jak ognia, więc walka z licznym nieprzyjacielem była uciążliwa i trudna.

Otworzyły się drzwi. Stanęła w nich Katarzyna. Niosła w misce jedzenie dla drobiu.

Puc patrzył za nią, ale się nie ruszył z miejsca. Bursztyn za to zerwał się i dreptał krok w krok za Katarzyną. A nos miał zadarty do góry.

– Bursztyn, na miejsce! – krzyknął na niego Puc. – Zawsze się kompromitujesz. Nie wiesz to, że Katarzyna nie lubi, kiedy się zagląda do kurzego jedzenia?

Bursztyn udawał, że nie słyszy. Przed samą furtką prowadzącą do kurnika schował się za spódnicę Katarzyny. W ten sposób przedostał się za kratę. Przyczaił się pod deską i czekał.

Puc spoglądał na Bursztyńsiowe machinacje jednym okiem i nie odzywał się wcale.

Katarzyna zsypywała kurze jadło do miski. Tłuczone kartofle z osypką dla kaczek. Nalała wody do ceberka, do poideł i poszła.

Puc słyszał szczęk zamykanej furtki.

– O, toś wpadł – powiedział do Bursztyńsia. – Widzisz, jakże się teraz wydostaniesz?

Bursztyn jednak wcale nie uważał na to, co mu Puc mówił. Dopadł do kaczego jadła. I ćpał kartofle z osypką, nie odrywając łba od koryta.

I kto to się tak objadał kaczymi smakołykami? Bursztyńsio! Ten gagatek, którego kłuły w zęby marchew i pietruszka z rosołu. Który się krzywił, kiedy mu dano kromkę chleba!

Bursztyn zajadał się tak, że zupełnie nie wiedział, co się wkoło niego dzieje.

Kacperek z Melańcią stali z daleka. Przyglądali się psu to jednym, to drugim okiem.

– Melańciu, jeśli się nie mylę, to jedzenie, które pałaszuje ten pies, przeznaczone jest dla nas, kaczek – kwakał Kacperek.

– Nie mylisz się, Kacperku – odpowiedziała zgodna zawsze Melańcia. – To jest nasze jedzenie.

– Kto rano wstaje, temu głód dokucza – rzekł Kacperek, który się lubował w kaczych przysłowiach. – Mam wrażenie, że jeśli pies będzie jadł tak żarłocznie, wkrótce nie zostanie dla nas ani na posmakowanie.

Melańcia nie odpowiedziała nic. Z rozwartym szeroko dziobem wpatrywała się w koryto.

– Melańciu, już ci wspominałem o tym, że nie wypada rozdzierać dzioba tak szeroko. Właśnie chciałem ci powiedzieć, co zamierzam uczynić – zaczął Kacperek i urwał.

Bo Melańcia, nie czekając na to, co jej powie mąż, sama znalazła sposób, i bodaj najlepszy.

Nie pytając o nic, zaczęła wyjadać z koryta, sięgając dziobem jak najdalej od psa. Połykała jadło z takim pośpiechem, że ledwie zdążyła poruszać dziobem, a gardło wydymało się jej jak bania. Spostrzegł to Kacperek, zadreptał w miejscu i zabrał się do koryta z drugiej strony.

Bursztyńsio dostrzegł te kacze manewry.

– Precz, kwakajły! – warknął i skoczył do Kacperka.

– Rata, rata, rata! – wrzasnął niekaczym głosem Kacperek.

I uciekał, co miał sił w krótkich nogach.

Jeszcze rozpaczliwiej darła się Melańcia, na którą z kolei rzucił się Bursztyńsio.

Obydwie kaczki toczyły się jak ciężkie kule. Melańcia z rozpędu wpadła na Białasa, Białas na Łyskę. Łyska odbiła się od Kacperka i wpadła na Czarnuchę. Zrobił się taki harmider, taki wrzask, że... Puc krzyknął:

– Bursztyn, Katarzyna!

Jakoż istotnie, tuż przy siatce stała już Katarzyna.

Spojrzała na to, co się w kurniku działo, i, niewiele myśląc, łap – za węża gumowego do polewania ogrodu! Odkręciła kran i puściła strugę wody w kurnik.

Kury skoczyły na siatkę. Kaczki schowały się do komórki. Na placu został tylko Bursztyńsio.

Pamiętacie zapewne, że Bursztyn bał się wody. Otóż wyobrażacie sobie, jak mu było miło, kiedy go Katarzyna polała lodowatą wodą?

Wił się jak piskorz, krzyczał, miotał się jak oszalały. A tu furtka zamknięta.

– A będziesz łaził do kurnika! Będziesz wyjadał kaczkom!

– Oj, nie będę, nie będę – jęczał Bursztyn, starając się uciec przed strumieniem wody.

– No, masz dość – powiedziała wreszcie Katarzyna, zakręciła kran od węża i otworzyła furtkę.

Bursztyn wypadł na podwórze, jednym susem był na ulicy, i tyle go widzieli.

Puc spojrzał za nim z odrazą, podszedł godnie do Katarzyny, majtnął kilka razy ogonem i powiedział z powagą:

– Ja tam nigdy nie chodzę do kurnika!

Podstawił łepetynę Katarzynie pod rękę i czekał, by go pogłaskała.

Katarzyna nieskora była jednak do pieszczot, więc odsunęła psa i poszła. Puc za nią. Że drzwi od kuchni były otwarte, a Katarzyna spoglądała właśnie w ogród, więc Pucunio ostrożniuteńko się przewinął i wsunął do sionki.

W kuchni wylizał starannie wszystko, co było do wylizania.

Zajrzał do pokoju. Cisza. Wszedł.

I od razu uderzył go w nos zapach przerozkoszny.

„Co to jest? – pomyślał. – Mięso?”.

Poszedł za zapachem. W kącie koło kredensu, tam gdzie była psia szkoła, stał stolik. Zazwyczaj na tym stoliku nie było nic ciekawego. Filiżanka, czasem kubeczek od mleka. Nie warto było zwracać na to uwagi! Ale dziś! Dziś stał tam talerz. A na tym talerzu, o dziwo, kotlety!

Puc własnym oczom nie wierzył. Obwąchał mięso starannie, oblizał się.

– Pucuniu, nie rusz – mówił sam do siebie. – Pucuniu, jesteś przecież porządny pies. Pucuniu, uważaj.

Powtarzał sobie te przestrogi i powtarzał.

Ale tak jakoś samo z siebie się stało, że kotlet wpadł mu sam w zęby. Nawinął się jakoś.

– Puc, opamiętaj się – powiedział sobie pies.

Ale już było po kotlecie!

Drugi kotlet też jakoś dziwnie sam spadł na ziemię. Też jakoś nie wiadomo dlaczego.

Czyż miał tak leżeć na podłodze?

Co komu przyjdzie z takiego ubrukanego kotleta?

Cóż miał tedy począć biedny Pucunio? Zjadł tak prędziutko i ten drugi kotlet, że się omal nim nie udławił.

Wylizał podłogę do czysta. Poszedł.

Zaraz w drugim pokoju trafił na Tiuzdejka.

Angielskie cudo leżało zwinięte w koszyczku i trzęsło się z zimna, pomimo że miało na sobie fraczek pomidorowy w kratkę.

Złym okiem spoglądał wyfraczony pies na Puca, który, że był dobrze wychowany, zbliżał się z wyszczerzonymi w miłym uśmiechu zębami i majtał najprzyjaźniej ogonem.

– Po co się tu wałęsasz? Nie lubię takich kundlów jak ty! – warknął do niego zgryźliwie Tiuzdejek.

– Tyś co powiedział? – spytał go Puc jeszcze zupełnie spokojnie.

– Że jesteś kundel. Że cię czuć obrzydliwie, iż zaraz kichnę, jeśli stąd nie odejdziesz. A wiedz o tym, że niedawno miałem katar i że jeśli będę kichał, to mi to może zaszkodzić.

Puc nie brał bardzo do serca tych uwag. Zajęty był zupełnie czym innym. Bardzo mu się podobała poduszka, na której leżał Tiuzdej. I koszyk.

– Ładnie sobie sypiasz – powiedział z uznaniem.

– Ażebyś wiedział – burknął Tiuzdej i obrócił się w koło na miejscu, moszcząc się jak najwygodniej na swojej poduszce.

– Miękka ta poduszka? – dopytywał się Puc.

Ale Tiuzdej nie raczył odpowiedzieć.

Zmrużył oczy i udał, że śpi.

– No, pytam się, czy miękka poduszka? – powtórzył Puc.

Tiuzdej milczał.

Cóż ma począć pies, który na ważne pytanie nie otrzymuje odpowiedzi? Musi spróbować sam dać sobie odpowiedź, prawda?

Tak też postąpił i Puc.

Ostrożnie, powolusieńku, żeby nie być natrętnym, postawił jedną nogę na poduszce.

Poczekał chwilę. Postawił drugą.

– Miękko tu leżeć, bardzo miękko – powiedział grzecznie do Tiuzdeja i na samym brzeżku koszyka oparł lewą tylną nogę.

Później prawą. Usiadł całkiem od niechcenia na samym koniuszku kosza i rozkoszował się tym, jak to tu miękko i przytulnie.

Tiuzdej się nie poruszał. Więc Pucunio ostrożniutko ułożył się na poduszce. Na samym brzeżku, rozumie się.

– Masz dość miejsca dla siebie, Tiuzdejku, prawda? – dopytywał się grzecznie.

Nie otrzymawszy odpowiedzi, uznał, że istotnie nikomu na poduszce nie przeszkadza. Więc się też rozłożył wygodnie. Wyprostował nogi.

– Wynoś się stąd! – warknął tym razem ze złością Tiuzdej, który nagle znalazł się na samym brzeżku kosza.

– Fe, jakiś ty nieużyty – oburknął go Puc. – Zjem ci tę twoją poduszkę?

– Ale ja już nie mam miejsca dla siebie, już lecę – złościł się Tiuzdej.

– Toteż lepiej nie spadaj, bo ci to może zaszkodzić. Zejdź sam – radził Pucunio i rozprostował się tak przestronnie, że Tiuzdej znalazł się na podłodze.

– Zabrał mi kosz! Zepchnął mnie z mojej poduszki! – mazał się Tiuzdej.

– Fee, jak to nieładnie tak się skarżyć. Jaki ty jesteś nieużyty. Jaki sobek – wymawiał mu Puc. – Poczekaj, niech ja sobie troszkę poleżę. Zaraz cię puszczę.

Ale Tiuzdej nie przerywał skarg. Zawodził, krzyczał, wreszcie z jękiem pobiegł do swojej pani.

Panna Agata skoczyła do swojego skarbuńcia. Od razu się domyśliła, że mu się stała jakaś krzywda.

Starała się go uspokoić, ale Tiuzdej uspokoić się nie dał.

Z lamentem biegł ku miejscu, gdzie stał jego kosz.

Za nim, w nocnych pantoflach i szlafroku, biegła panna Agata.

Zobaczyła Puca, który rozkosznie zwinięty w kłębuszek, wylegiwał się na poduszce.

– Precz! Precz! Wynoś się! – Wpadła z góry na psa, który się wcale jej widoku nie spodziewał.

Puc miał swój honor. Wolno było krzyczeć na niego Katarzynie. Bo Katarzyna to Katarzyna. Każdy to wie, pierwsza osoba w domu! Każdy jej musi słuchać, bo ona wszystkich karmi.

Ale żeby taka obca, taka przybłęda, która pierwszy raz jest w domu, śmiała wymyślać zasiedziałemu psu? I to na własnych jego śmieciach?

– Tego nie było i nie będzie – powiedział sobie Pucunio, wyszczerzył zęby i zawarczał głucho:

– Proszę zniżyć ton, nie znoszę wrzasków.

– Zejdź z poduszki! Idź precz, ty kundlu podwórzowy!

Panna Agata wysunęła rękę i chciała schwycić Puca za kark.

– Niedoczekanie twoje – warknął Puc i łap, pannę Agatę za palec.

A Pucunio ząbki miał jak igły.

– Takiś ty, poczekaj! – zawołała dama i pobiegła do siebie.

– Aha, no i czyje na wierzchu? – krzyknął za nią Puc.

I żeby zaznaczyć, że zwyciężył i że gardzi pokonanym wrogiem, zakręcił się w kółko na koszyku i obrócił do pokoju ogonem.

Panna Agata wróciła z parasolką w ręku. Otworzyła ją. Wyciągnęła przed siebie jak tarczę i wpadła na Puca.

Puc spojrzał i rozwarł paszczę w najweselszym uśmiechu.

„A to ci będzie zabawa – pomyślał. – Jeszczem też czegoś podobnego nie widział!”.

I zanim panna Agata zbliżyła się do niego z parasolką, Puc już się zerwał, skoczył, chapnął za brzeg, tam gdzie była koronka, i nuż targać, szarpać, wydzierać.

Panna Agata w krzyk. Chce wyrwać parasolkę, a Puc trzyma ją zębami jak w kleszczach i rwie ku sobie. Zaczęła się szarpanina. W tej walce zakręcili się w kółko raz, zakręcili drugi. Szlafrok panny Agaty rozdął się jak żagiel. Musnął Puca po nosie.

– Nie bawię się więcej w parasolkę! – powiedział sobie Puc. – Łapać za te skrzydła!

Wypuścił parasolkę, a wpił się zębami w skraj szlafroka.

I jazda!

Kręcił się w kółko lepiej niż na karuzeli.

Bo panna Agata, chcąc się uwolnić od psa, obracała się w koło jak fryga.

Pucunio stuknął z rozmachu w Tiuzdejka i wbił go pod szafę. Łupnął głową o stołeczek pod nogi. Ten stołeczek wpadł jak kula pod większy stolik, który stał niepewnie na trzech ciężkich nogach.

Na tym trójnożnym stoliku stała palma, ukochanie i duma Katarzyny.

Stolik spod palmy nie miał nic lepszego do roboty, jak się zachwiać w jedną stronę, zachwiać w drugą. Palma się zachybotała. I brzdęk na ziemię!

Tuż pod nogi pannie Agacie.

Panna Agata rymnęła jak długa wprost na samą palmę.

– O Jezu Nazareński! – jęknęła Katarzyna na ten widok, bo właśnie weszła do pokoju.

– Najwyższy czas wycofać się z towarzystwa – powiedział sobie Pucunio, którego upadek palmy przyprowadził do przytomności.

I chyłkiem, tuż przy ścianie, przemykał się ku drzwiom.

Już miał przeszmyrgnąć obok Katarzyny, gdy wtem poczuł na karku jej kościste palce.

– Zginąłem! – wrzasnął i na wszelki wypadek zaczął skowyczeć rozpaczliwie.

Katarzyna niosła Pucunia, trzymając nieboraka za skórę na karku.

Po drodze przypomniała mu i to, że zrzucił palmę, i to, że nie szanował gościa.

Dała mu ostatniego klapsa, krzyknęła na drogę:

– Żebyś mi się tu na oczy nie pokazywał!

I wyrzuciła go na podwórko.

Pucunio, utykając na lewą tylną nogę, wlókł się do budy. Zastał już w niej Bursztyńsia.

– Usuń się – powiedział głosem obolałym. – Mógłbyś uszanować nieszczęście! – wymówił mu gorzko.

Wyciągnął się na słomie i rozmyślał.

– Wiesz, Bursztyn – odezwał się po chwili spokojniejszym już głosem. – Różne rzeczy widziałem, ale takiej wesołej zabawy, jak z tą panią, co przyjechała do nas, tom jeszcze nie oglądał.

– Nie bardzo ci jakoś na zdrowie poszła ta zabawa! – zadrwił Bursztyńsio.

– Bo to można żyć spokojnie w domu, w którym taka Katarzyna może robić, co jej się żywnie podoba? – westchnął. – Aj, co mnie tu uwiera w bok? Coś ty przyniósł, Bursztyn?

Spojrzał.

Zobaczył, jak Bursztyńsio oblizuje ulubioną zabawkę – barani gnat, jedyną psią pociechę w ciągłych strapieniach.

Szarpnął kość do siebie. Zaczął od niechcenia, byle czas zająć, cmoktać baranią łopatkę z grubego końca.

Bursztyńsio nie protestował. Był bardzo zgodny i przyjacielski.

Serdecznie zresztą współczuł Pucowi. Obaj byli nieszczęśliwi przez Katarzynę.

Psy cmoktały kość, cmoktały, aż wreszcie zasnęły nos w nos.

Tak to wspólne nieszczęście połączyło skołatane psie dusze, a sen je ukoił.

ROZDZIAŁ SIÓDMY

Psy spały do samego południa.

Podczas obiadu Bursztyńsio zobaczył uchylone drzwi do sieni. Wzięła go chętka dostać się do kuchni. Już się miał ku wejściu, gdy na samym progu spotkał Imkę.

– Dokąd się pchasz? – miauknęła do niego. – Żebyś był starszy, tobym ci nie powiedziała ani słowa. Ale żeś młody i niedoświadczony, więc cię uprzedzam. Nie wchodź, bo oberwiesz.

– A ty? Byłaś przecież w kuchni, skoro tu siedzisz na progu?

Kotka była bardzo ambitna z natury, wstydziła się przyznać przed Bursztyńsiem, że i ją dopiero co wyrzucono z pokoju. Skrzywiła się więc tylko i burknęła:

– Wart jesteś, żeby cię Katarzyna dobrze obiła za niemądre pytania.

Przeskoczyła przez Bursztyńsia, przeszła godnie przez podwórko, skoczyła na dach drwalki i stamtąd przyglądała się Bursztyńsiowi.

Bursztyńsio zaś walczył ze sobą.

Nie wierzyć kotce nie mógł. Przecież i Pucunio miał kości obolałe. I sam wiedział, że Katarzyna to zmora.

Z drugiej znów strony, z kuchni zalatywały takie zapachy, że kamień by nie wytrzymał, nie tylko pies.

Kręcił się więc przy progu i postękiwał z cicha. Raz po raz zaglądał do sionki. Jak tylko usłyszał w kuchni podejrzany hałas, cofał się przezornie na podwórze. Ale i psia cierpliwość ma swoje granice.

Katarzyna, jak już podała obiad, zmywała gorącą wodą wszystkie rondle, patelnie, garnki. I ten przesmaczny sos wlewała do psich misek na okrasę.

Psy znakomicie wiedziały, kiedy się to działo. Poznawały po brzęku naczyń. Nie było siły, która by je mogła wtedy wstrzymać od wdarcia się do kuchni.

Stały nad swoimi miskami. Czekały, aż ich jedzenie wystygnie. Tymczasem zaciągały się rozkosznym zapachem.

Każde z was, nie wiadomo ile razy, wpada do kuchni wtedy, gdy się smażą konfitury. Rozumiecie więc Puca i Bursztyna. Prawda?

Otóż, gdy Katarzyna szczęknęła w garnki, Bursztyn krzyknął:

– Puc! Już! – i jednym skokiem był w kuchni.

Ale gdy się znalazł oko w oko z Katarzyną, aż przysiadł na ziemi ze strachu.

Ale... O dziwo! Katarzyna nie tylko że nie chwyciła trzepaczki, którą zawsze miała pod ręką i która, no, co tu wiele mówić, była często w robocie, gdy o psie boki chodziło, ale uśmiechnęła się do Bursztyna i powiedziała wcale przyjaźnie:

– Dobrze, żeś przyszedł, Bursztyn. Co goście, to goście. Ale żeby przez obcych własne psy krzywdzić, to się po mnie nie pokaże. Psy wyrzucają z pokoju. No, dobrze. Niech tam będzie. Ale żeby psu ani stąpnąć do pokoju nie było wolno! Do góry nogami cały porządek się przewraca. Naści, Bursztyn, podjedz sobie.

Bursztyńsio własnym oczom nie wierzył, gdy mu Katarzyna rzuciła smakowity kąsek.

Puc siedział przezornie przed drzwiami sionki. Czekał.

Jeśli Bursztyn wyleci z kuchni – to znaczy, że nie ma po co się pchać. Ale że Bursztyńsio dobre kilka chwil nie wracał, widać więc, że się coś nowego przywidziało Katarzynie.

A może już tamtych nie ma? Może wszystko wróciło do dawnego stanu?

„Wejść czy nie wejść?" – rozmyślał, aż kręcił się w kółko z niecierpliwości i przysiadał.

Wreszcie wziął na odwagę i wsunął się ostrożnie. Zobaczył najpierw szeroko rozstawione tylne nogi Bursztyna i ogon sterczący jak kita.

Własnym oczom nie wierzył.

– Czyżby coś jadł? – zdumiewał się. – Jeśli tak, to dobra nasza.

Już śmielej wsunął się do kuchni. Wyszczerzył zęby w uśmiechu, zaczął się przykładać do ziemi w najuprzejmiejszych ukłonach przed Katarzyną.

– Ta palma to naprawdę nienaumyślnie – przemawiał czule i najprzymilniej, jak umiał.

Katarzyna spojrzała na niego zezem. Była widocznie zła. Pucunio struchlał, zimny pot go oblał, a wszystkie włosy na skroni stanęły mu dęba.

– Lanie pewne – stwierdził z rozpaczą.

I nagle stała się rzecz nieoczekiwana. Katarzyna przypomniała sobie Pucuniową karuzelę na szlafroku panny Agaty.

I jak wybuchnie śmiechem! Puc zdębiał.

A Katarzyna śmiała się i śmiała. Wreszcie wyjęła jakąś kostkę z brytfanny i cisnęła Pucuniowi. Schwycił ją w lot.

I nie czekając, co nastąpi, uciekł na podwórze.

Psy zjadły tego dnia obiad wspaniały.

– Jakoś wszystko idzie ku lepszemu – szepnął Pucunio, układając się do snu pod werandą.

– A może już tamci wyjechali? – rzucił myśl Bursztyn.

Ale Puc go wyśmiał.

Przede wszystkim, kto widział odjazd gości? Nikt. A po drugie, co teraz słychać? Nie jestże to jazgot tego wyfraczonego potwora?

– Śpij i nie zawracaj sobie głowy – przerwał rozmowę Puc, zawinął się w ogon i zasnął.

Spały dość długo. Obudził je łoskot otwieranych drzwi od przedpokoju.

– Puc, idziemy – powiedział Bursztyn i pobiegł do ogrodu.

– Gdzie? Po co? – mitygował go Pucunio. – Na spacer będziesz chodził? Z kim? Z nimi? Chcesz się najeść wstydu na całe życie? Niech no nas kto zobaczy na mieście w takim towarzystwie! Nawet Kucuś zerwie z nami stosunki i będzie udawał, że nas nie zna.

Przez ciekawość jednak poczęły psy patrzeć, jak się to będzie odbywał ten spacer? Jak zobaczyły Tiuzdeja paradującego na jednym ręku panny Agaty i Mikaduchnę na drugim

– spojrzały obydwa po sobie, obróciły się tyłem i zamiatały z obrzydzeniem nogami.

– Tfu! Pohańbienie psiego rodu na wieki wieczne – powiedziały sobie i wróciły na podwórze.

Tymczasem panna Agata, obciążona swoimi skarbuńciami, ruszyła na przechadzkę po mieście. Rozumie się, i ja, i Krysia towarzyszyliśmy pannie Agacie.

Trzeba zdarzenia, że zaraz za pierwszym rogiem spotkaliśmy buldoga Lorda, tego, który zakopał skarb zaraz za naszym domem.

Było to psisko łagodne, choć wyglądało na krwiożerczego smoka. Bardzo był przyjacielski i uprzejmy.

Ze mną i z Krysią witał się zawsze serdecznie. Nawet może nazbyt serdecznie.

Skakał nam na piersi.

A że był ciężki i silny, trzeba się było mocno trzymać na nogach, żeby przy takiej pieszczocie nie stracić równowagi i nie runąć na wznak.

I tym razem Lord, zobaczywszy nas już z daleka, majtał kikutem obciętego ogona i gotował się do skoku. Ale zamiast skoczyć na piersi mnie czy Krysi, odsadził się i z całego rozmachu wsparł się łapami o pannę Agatę.

Zaledwiem ją zdążył podtrzymać. Byłaby, biedactwo, runęła jak długa na chodnik!

Tak była przestraszona, że w pierwszej chwili nie spostrzegła nawet, iż obydwa skarbuńcie wysunęły się jej z rąk i znalazły na ziemi.

Mikaduchna uskoczył w bok, stał w swojej królewskiej pozie i patrzył doskonale obojętnie na to, co się działo.

A działo się też, działo!

Lord zobaczył Tiuzdeja we fraku. I skamieniał ze zdumienia.

„Co to za zwierz?" – zastanawiał się.

Okraczył zmartwiałego ze strachu Tiuzdejka, wodził po nim nosem od głowy do ogona i od ogona do głowy.

– Ratujcie skarbuńcia! – krzyknęła rozpaczliwie panna Agata, ujrzawszy, że jej skarbuńcio leży jak martwy na grzbiecie i ani się porusza. – Precz, ty potworze! – wrzasnęła na Lorda.

Ale Lord nie lubił, gdy mu przeszkadzano. Szczególnie nie znosił, kiedy na niego krzyczano bez powodu, wyszczerzył więc wielkie swoje kły i warknął groźnie:

– Nie przeszkadzać!

Ledwieśmy powstrzymali pannę Agatę, która chciała odciągnąć Lorda od Tiuzdejka. Krysia podeszła do buldoga i powiedziała łagodnie:

– Lordzik, kochany, miły, puść Tiuzdejka, puść! – i głaskała go po pałkowatej łepetynie.

Lord spojrzał na nią wyłupiastymi oczyma.

– Nie robię mu krzywdy – mówił. – Pozwólcie mi się tylko przyjrzeć temu stworzeniu, które udaje psa.

Trącił kilka razy nosem zmartwiałego ze strachu Tiuzdejka, dotknął go łapą.

Panna Agata mało nie zemdlała ze strachu.

Napatrzywszy się Tiuzdejkowi, Lord podszedł do Mikada. Psina spojrzała na niego wyniośle, wyszczerzając zęby.

– Z daleka. Proszę bez poufałości – warknęła ostrzegawczo i nie ruszyła się z miejsca.

Mikaduchna był nie większy od małego szczenięcia. Lord znów tak wielki, że bez trudu mógłby był połknąć Mikaduchnę na jeden kęs.

Japończyk, który się nie uląkł tak wielkiego psa, wykazał takie męstwo, że nie tylko ja, ale nawet sam Lord był tym zaskoczony.

Usiadł też przy Mikaduchnie i spoglądał na niego z ciekawością, ale i z szacunkiem.

Panna Agata porwała na ręce Tiuzdejka. Chciała biec po Mikaduchnę, ale Japończyk sam wybrał Krysię. Podbiegł do niej, wsparł się o jej kolana.

– Weź mnie – powiedział. – Wcale nie pragnę znajomości z tym goliatem.

Krysia wzięła psa na ręce.

O dalszym spacerze nie było mowy. Panna Agata była zbyt zdenerwowana.

Wróciliśmy do domu.

Tiuzdejek płakał przez całą drogę, płakał w domu. Ba, mazał się wówczas nawet, gdy Katarzyna postawiła przed nim kotlecik świeżo usmażony! I to z wątróbki!

Zjadłszy kotlecik, Tiuzdejek poszedł do łóżka. Panna Agata zabrała go ze sobą do pokoju na górę, dokąd się przeniosła.

Oświadczyła nam, że na dole, gdzie są psy i lada chwila może wejść kocica albo nawet Lord, jej Tiuzdejek nigdy nie przyjdzie do zdrowia.

Puc i Bursztyn widziały nasz powrót. Przede wszystkim zaś słyszały brzękanie naczyń w kuchni i poczuły zapach smażonego mięsa. Z Katarzyną nastała zgoda, więc bez obawy wsunęły się do kuchni.

Panna Agata, zabrawszy Tiuzdeja, poszła na górę. Katarzyna zostawiła drzwi do pokoju otwarte.

Wśliznął się przez nie najpierw Puc, a za nim Bursztyńsio. I do jadalni!

Puc od razu podbiegł do miejsca, gdzie stały kotlety na stoliku.

– Czego tam szukasz? – dopytywał się Bursztyńsio.

Puc nie odpowiedział nic. Obejrzał stolik, obwąchał.

„Szkoda, że wczoraj nie zjadłem wszystkich kotletów – pomyślał z żalem. – Na dziś nie zostawili ani okruszynki".

Poszły dalej.

– A to co? – zaśmiał się Bursztyn, ujrzawszy Mikaduchnę siedzącego jak zawsze nieruchomo na poduszce.

– Niby pies! – zaśmiał się Puc.

Mikaduchna przyglądał się im obojętnie z góry i ani drgnął.

Bursztyńsio podsunął się bliżej z nosem wystawionym na wiatr. Pociągnął niuch zapachu i zaraz się cofnął.

– Puc! – szepnął zdumiony do najwyższego stopnia. – To nie jest pies.

– A co to jest? – zaśmiał się Puc.

– Coś, co z przodu pachnie zwietrzałą rezedą, a z tyłu naftaliną. Zupełnie jak ten szczur, co siedział w szafie z futrami!

– E, pstro masz w głowie! – oburknął go Puc.

A że znał się na grzeczności i nawet z takimi dziwolągami, jak psy panny Agaty, lubił postępować politycznie, więc majtnął kilka razy przyjaźnie ogonem i zaczął od przedstawienia gościowi siebie i Bursztyńsia.

– My jesteśmy tutejsze, domowe psy – powiedział uprzejmie.

Mikaduchna nie kiwnął nawet głową. Ledwie raczył zmrużyć oczy.

– Ja jestem Puc, a on się nazywa Bursztyn – ciągnął Pucunio.

Milczenie. Pucunio już był zły.

– Czy dostojna osoba umie się bawić w jaką przyzwoitą psią zabawę? – zagadnął z przekąsem.

„Dostojna osoba" i tym razem nie burknęła ani słówka.

Bursztyńsio parsknął śmiechem.

– W co on by się umiał bawić? Puc, daj spokój tej ofermie! Szkoda czasu. A może dostojna osoba zlazłaby z tej poduszki – powiedział już wyraźnie obraźliwie.

I nie tylko powiedział, ale schwycił „dostojną osobę" za długie kosmate uszko i zaczął nim szarpać nie na żarty.

Mikaduchnę zła krew zalała. Jak się szarpnie, jak skoczy!

Wpadł na Bursztyńsia i od razu przewrócił go na ziemię. Dopadł mu do brzucha, a że ząbki miał ostre i wcale nie żartował, więc Bursztyńsio wił się i krzyczał wniebogłosy.

– A będziesz zaczynał? – pyta go Mikaduchna.

– Nie będę, nigdy nie będę! – zaklinał się Bursztyn. – Tylko mnie puść!

Mikaduchna puścił Bursztyna, który wyglądał wcale nienadzwyczajnie i niebohatersko.

Puc podszedł do Mikada i powiedział pojednawczo:

– Jesteś dzielny pies i możemy się razem bawić.

– Kiedy ja się nie umiem bawić – przyznał się szczerze Mikado.

– Jak? Co? Coś ty powiedział? – zdziwił się Pucunio.

– Powiedziałem, że nie umiem się bawić! – powtórzył Mikado. – Mówię wam tak, jak jest. Ja nie kłamię nigdy.

Puc spojrzał na Bursztyna, Bursztyn na Puca.

– Jakeś ty się uchował? Naprawdę nie umiesz?

Mikado milczał.

Pucowi żal zrobiło się psiny, więc powiada:

– Chodź! Idziemy na podwórze.

– A co to jest podwórze? – spytał Mikado.

Znów Puc rzucił okiem na Bursztyńsia, a Bursztyn na Puca.

I już Bursztyńsiowi przyszła ochota pośmiać się z Mikada, ale Puc tak spojrzał na niego, że Bursztyńsiowi odeszła chęć do drwin, jakby jej nigdy nie miał.

– Co tu wiele gadać, chodźmy! – rzucił Puc.

Poszły. Przodem sadził Puc, za nim Mikado, Bursztyńsio zamykał pochód.

Szły szybko, a ostrożnie. Puc się bał, że po drodze mogą spotkać Katarzynę, która gotowa zrobić coś nieoczekiwanego, czym zepsuje zabawę.

Toteż dochodząc do kuchni, Pucunio kopnął Mikada.

– Uważaj! Trzymaj się ściany! Żeby cię Katarzyna nie dostrzegła.

– Dlaczego? – zdziwił się Mikado.

– On się pyta! – próbował się zaśmiać Bursztyńsio, ale Puc zgromił go wzrokiem.

– Już zaczynasz? – spytał go tak wnikliwie, że Bursztyńsio zamilkł.

Ale żeby unaocznić Mikaduchnie, że spotkania z Katarzyną lepiej uniknąć, przemknął jednym skokiem koło drzwi kuchennych, przesadził sień i już z podwórza wołał:

– Możecie się nie bać! Idźcie śmiało! Katarzyna jest w ogrodzie!

Gdy już wyszły z sionki, Mikaduchna jeszcze raz zapytał Puca:

– Dlaczego miałyśmy uciekać przed Katarzyną?

Puc, który był psem porządnym i nie chciał zbywać Mikada byle jaką odpowiedzią, wyłożył mu wszystko dokładnie:

– Widzisz, najważniejszą osobą w domu jest Katarzyna. Ona daje wszystkim jeść. Rozumiesz, że od takiej osoby zależy wszystko. Trzeba się z nią liczyć. Tym bardziej że ona nie lubi, jak się jej sprzeciwiać. Zaraz się bierze do trzepaczki.

– Co to jest trzepaczka? – spytał Mikado.

Tu już i Puc nie wytrzymał. Krzyknął do Bursztyna, który wylizywał miskę:

– Bursztyn, on nie wie, co to jest trzepaczka!

Bursztyn wziął w obronę Mikada.

– Może jego, kiedy coś zbroi, biją dyscypliną jak Kucusia – powiedział pojednawczo.

– Mnie nigdy nikt nie bił – z dumą oświadczył Mikado.

I Bursztyn, i Puc spojrzeli w tym miejscu na Mikaduchnę oczyma okrągłymi z podziwu, a wielkimi jak talary.

– Buja! – krzyknął Bursztyn.

– Raz moja pani chciała mi dać klapsa, alem ją ugryzł w rękę – powiedział spokojnie Mikaduchna. – Odtąd nikt mnie nie śmiał dotknąć.

Obydwa psy patrzyły na niego zdumione.

– No, no, no! – dziwił się Puc.

– Poczekaj! Już tam Katarzyny nie ugryziesz – zapewniał Bursztyn Mikada.

– Pi, pi, pi! Rozumie się – przytwierdził z uznaniem Puc i zaproponował zabawę w ósemkę jako najłatwiejszą. Puściły się. Przodem biegł Puc, za nim zaraz Mikado. Zataczały ósemki wkoło dwóch słupków, między którymi Katarzyna rozciągała sznur do trzepania dywanów.

Japończyk biegł z całych sił, żeby nie wypaść z kolejki.

Przebierał krótkimi nóżkami, jak tylko mógł. Sapał ciężko, bo nogi miał jak z masła. Niewybiegany był wcale. Nic dziwnego. Całe życie niemal spędził, siedząc na poduszce.

Nie chciał jednak pokazać, że jest niedołęgą. Zapatrzył się w koniec Pucowego ogonka i sadził naprzód co sił.

– Uwaga! – krzyknął Puc.

Ale już było za późno.

Mikado źle obliczył skok i tak łomotnął głową w słup, że się odbił i potoczył pod drwalkę, wywracając po drodze dwa koziołki w powietrzu.

Psy zatrzymały się w biegu.

– To dopiero będzie wrzask! – szepnął drwiąco Bursztyn do Puca. – Taki maminsynek!

Ale maminsynek nie pisnął nawet. Musiało go dobrze zamroczyć, gdyż oglądał się dookoła półprzytomnie. Próbował wstać.

– Posiedź chwileczkę, aż ci przejdzie zawrót głowy! – radził Puc.

– Nic mi nie jest – uspokoił go Mikado.

Podniósł się, podszedł do nich i powiedział:

– Przepraszam. Już będę uważał. Bawmy się dalej.

– A widzisz? Gdybyś to ty tak brzęknął głową w słup, toby tu taki harmider był, że wszystkie psy z całego miasta już by wiedziały o twojej krzywdzie! – zgromił Puc Bursztyna. – Dzielny jesteś pies – powiedział z uznaniem do Mikada. – Bawmy się.

Znów się puściły w ósemkę. W coraz szybszą. Kurz się podniósł na podwórzu taki, że o dwa kroki nic nie było widać.

Kacperek przyglądał się tym psim zabawom zza kraty.

Bardzo był strapiony i niespokojny.

– Melańciu – kwaknął do żony – mam wrażenie, że są trzy psy na podwórzu i że tego kosmatego dotąd jeszcze u nas nie widziałem.

– Masz rację. Tego kosmatego jeszcze u nas na podwórzu nie widziałeś.

– Gdzie psów jest wiele, kaczkom się bieda ściele – kwaknął Kacperek, który lubił przytaczać kacze przysłowia.

– Gdzie psom się ściele, kaczek jest wiele – powtórzyła Melańcia niezupełnie dokładnie.

Kacperek już otworzył dziób, by jej zrobić uwagę, że nie uważa na to, co mówi, gdy wtem wszystkie trzy psy, wypadłszy widać z kolejki, uderzyły z rozmachem w kratę, i to właśnie w tym miejscu, gdzie stał Kacperek.

– Ratuj się, kto może! – krzyknął kaczor i nie oglądając się na nic, skoczył do przełazu.

Wypadł w ogród. Za nim Melańcia. Nie oparli się oboje aż daleko, koło altanki.

Lecz nie tylko kaczki patrzyły z zaciekawieniem na psie gonitwy. Przyglądała się im z daleka od drwalki Imka. I bardzo się to jej nie podobało, że psy robią tyle hałasu, tym bardziej że Mikado rozbawiony szczekał zawzięcie.

– Ty, nowy – krzyknęła z góry – przestań szczekać!

Nowy, to jest Mikado, nawet nie słyszał tego napomnienia. Szczekał sobie w najlepsze.

– Cicho! – powtórzyła Imka.

Przeczekała chwilkę i jak piorun spadła na psy. Puc i Bursztyn stchórzyły.

Ogon pod siebie i pod werandę.

Imka skoczyła do Mikada. I pac! go łapą z całego rozmachu po pyszczku.

Mikado spojrzał na nią groźnie.

– Jak śmiesz! – warknął.

I skoczył do kocicy. Zanim zdążyła umknąć, już ją schwycił za futro.

Nie tak to łatwo i bezpiecznie było zaczepiać Imkę. Wprawdzie Mikaduchna z rozpędu przewrócił kocicę i wjadł się w jej kudełki, wprawdzie Imka, więcej zdumiona niż oburzona, nie broniła się tak jak należy. Lecz gdy przyszła do siebie, gdy spostrzegła, że to ten marny psina, ta przybłęda miejska ośmieliła się ją napastować, wywinęła się jednym skokiem spod Mikada. I już siedziała mu na karku.

Nie parskała, nie prychała, tylko biła łapą, aż huczało!

– Oj, oj, oj! – stęknął ze współczuciem Pucunio, któremu żal było Mikada. – Imka – próbował perswadować – on jest nietutejszy, on nie wiedział...

– Teraz będzie wiedział – odburknęła kotka, puściła Mikada, skoczyła na płot i zaczęła wylizywać i wygładzać zmechrane futerko.

Mikado podniósł się, usiadł i oglądał się dokoła nieprzytomnymi oczyma.

– Bardzo cię boli? – dopytywał się Bursztyn.

– Ty byś już podniósł wrzask na całe miasto – burknął do niego Puc i podszedł do Mikada.

Psina był ciągle oszołomiony. Kotka pobiła i podrapała go boleśnie. Z poszarpanych uszu kapały krople krwi.

– Boli cię? – dopytywał się Puc ze współczuciem.

Mikado nie odpowiedział. Wstał, podszedł do miski, gdzie stała woda dla psów. Napił się. Obejrzał. Zobaczył Imkę na płocie i krzyknął:

– Spotkamy się jeszcze! Nie myśl, że się tak łatwo dam pohańbić!

Skoczył ku Imce raz, skoczył drugi.

Ale gdzie mu tam było dosięgnąć kotki, która siedziała ze trzy łokcie od ziemi.

Puc, który do Mikada już przedtem nabrał serca, starał się go poskromić:

– Mikado, przestań! Ty nie wiesz, kto to jest Imka! – przekładał mu. – Przecież ona ci da takie lanie, że popamiętasz.

Najniespodziewaniej odezwała się Imka z płotu:

– Nie wtrącaj się! Niech sobie skacze! Musi się sam przekonać, że mnie tak łatwo nie dosięgnie, jak mu się zdaje!

Ale Mikado już się uspokoił. Przestał doskakiwać do kocicy. Tylko się jej przyglądał takim wzrokiem, jakby ją chciał zjeść.

Imka nie brała sobie do serca tego, że Mikado pałał do niej złością. Nachyliła się ku niemu z płotka i wpatrywała się w psiaka swymi bursztynowymi oczami.

– No i co? – spytała go. – Zmęczyłeś się?

– Odejdź, Mikado, bo kotka skoczy na ciebie – przestrzegał go Puc.

Kotka się zaśmiała końcem wąsów.

– Nie bój się, nie skoczę. Muszę ci powiedzieć, Mikado, że mi się podobasz. Nie jesteś tchórz, w kaszy się zjeść nie dasz. My, koty, szanujemy odwagę. Tylko ci powiem jedno: jesteś jeszcze fryc i życia nie znasz. Najważniejszą rzeczą jest wiedzieć, co, komu, gdzie i jak. Powinieneś wiedzieć, że ja jestem Imka, kocica zasiedziała, że wychowałam wszystkie psy, jakie się po podwórzu wałęsały. Powinieneś mnie słuchać i szanować. A niepotrzebnie nie hałasuj, bo zawsze weźmiesz wały.

Powiedziała to tonem spokojnym, ale niedopuszczającym odpowiedzi. Wstała na płotku, przeciągnęła się w tył, w przód, wywinęła ogonem w lewo, w prawo i poszła w ogród.

Mikado patrzał za nią.

– Bursztyn – szepnął Puc. – Trzeba Mikadzie powiedzieć, jak się ma zachowywać, bo to fryc. Gotów nam narobić kłopotu swoją osobą.

– Weź ty się do niego – powiedział. – Ja się do uczenia nie nadaję.

Jak się psy podzieliły pracą – nie wiadomo.

Jedno można było przypuszczać, że lekcja rozpoczęła się zaraz. Na podwórku.

Puc pokazał Mikadzie kury. Nauczył go, jak się podchodzi do koguta, jak trzeba uważać na dziób, który jest ostry i twardy.

Mikado obchodził odtąd kury z daleka.

Otwierał szeroko pyszczek z podziwu na widok Kacperka i Melańci, które wróciły z ogrodu.

Nie pytał się o nic, nie naprzykrzał się. Przyglądał się tylko i słuchał tego, co mu mówił Puc i Bursztyn, i podziwiał nowy świat.

– No i co? – spytał go Puc, gdy już obeszły całe podwórze. – Ciekawie tu jest?

Mikado nie odpowiedział nic. Usiadł, kiwał głową, mrugał oczkami i oblizywał się prędko czerwonym językiem.

– No, jak ci się u nas podoba? – dopytywał się Bursztyn.

Mikado milczał przez chwilę. Wreszcie szepnął:

– To jest życie! Nie to, co w wielkim mieście, gdzie się nie widzi nic więcej, prócz mebli i pokoju.

Jeszcze była ósemka i polowanie na motyle z Bursztynem. I łapanie wróbli we trójkę.

Aż nareszcie przyszedł kres zabawy. Było południe. Słońce prażyło. Psy były zgonione. Same oczy im się kleiły.

Poszły spać do budy.

Puc, który nabrał serca do Mikada, ustąpił mu brzeżek swego miejsca, a Bursztyńsio nawet wygrzebał dla Japończyka spod słomy łopatkę baranią.

– Masz, pobaw się przed snem. To bardzo miło – zachęcał.

Ale Mikaduchna patrzył na kość z takim obrzydzeniem i przestrachem, że aż się Puc zaśmiał.

– Co się z tym robi? – pytał.

– Bierze się w zęby i gryzie – odpowiedział mu Puc. – Tak! Śmiało – zachęcał Mikaduchnę, który ledwie, ledwie dotykał zębami brudnego gnata.

– Moja pani nie pozwalała mi dotąd brać do pyszczka takich brudnych rzeczy – usprawiedliwiał się Mikado.

– I Katarzyna nie pozwalała nam gryźć kości w budzie – zauważył Puc.

– I dlatego nie ma jak barania łopatka – szepnął Bursztyn i cmoknął raz i drugi oblizany gnat.

Później chwycił go zębami. Ale jakoś niemocno. Tak ledwo, ledwo. Kość się wysunęła z pyszczka Bursztyńsia, trąciła w nos Puca, który już miał oczy zamknięte, i zsunęła się po jedwabistej sierści Mikaduchny, który już chrapał w najlepsze.

Tak się skończyło pierwsze wejście w świat japońskiego pięknisia.

ROZDZIAŁ ÓSMY

Psy spały do obiadu.

Tak się jakoś złożyło, że tego dnia panna Agata i my byliśmy na obiedzie w mieście u wspólnych znajomych, nikt więc nie zauważył, gdzie się Mikaduchna obraca.

Tylko Katarzyna zdziwiła się niepomiernie, gdy zobaczyła Mikadę wychodzącego z budy.

– Patrzcie no go! Już się z naszymi zwąchał. Ha, jakeś taki chwat i nie boisz się wychodzić z pokoju, to jeść dostaniesz tak samo, jak inne psy – zdecydowała i przyniosła Mikadzie miseczkę, jak i innym psiakom.

Postawiła ją na przymurku.

– Naści, Mikado, wsuwaj! – powiedziała i pogładziła psa po miękkiej sierści. – A toś się utytłał – wymówiła mu, widząc, że pełno w sierści miał wiórków i słomy.

Mikado spojrzał na Katarzynę tym swoim dziwnym spojrzeniem, jakby z góry, i pomyślał:

„Prawda, że bywałem nieraz czyściejszy, niż jestem w tej chwili. Ale mi jest teraz dobrze na świecie i pani jest kochana, że mi daje jeść tu, nie zaś razem z Tiuzdejkiem".

Podszedł do miski i jadł rozważnie, spokojnie, nie spiesząc się. Za to Puc i Bursztyn żarły tak pośpiesznie, że aż się dławiły.

Zawsze tak ćpały nieprzystojnie.

Nie wiadomo dlaczego i po co? Nikt im przecież nigdy nie odbierał jedzenia, a i same sobie nawzajem go nie wydzierały.

Były prościuchami bez żadnego wychowania! Co tu wiele mówić, chamy, i tyle.

Puc spojrzał raz zezem na Mikada, który po każdym kęsku oblizywał starannie pyszczek, spojrzał drugi. Nie wytrzymał:

– Dlaczego marudzisz przy jedzeniu? – burknął do niego pełnym pyszczkiem. – Nie znasz to psiej zasady: jedz jak najprędzej, bo co zjesz – to twoje, a co zostawisz, to dla innych. Dalej! Spiesz się! Z serca ci radzę!

Mikado spojrzał na niego, na Bursztyńsia, który się dławił obok. Wrócił do miski i znów pojadał sobie wolno, ze statkiem.

Puc znów rzucił na niego okiem.

„Kto wie – pomyślał – może, jak jeść wolno, to lepiej smakuje?".

Obejrzał się na Bursztyńsia, zastawił sobą miskę, żeby go Bursztyn nie podpatrzył, i dalejże wyjadać dystyngowanie kaszę z osypką i smalcem. Mlaskał językiem i smakował, oblizywał się tak, jak to robił Mikado.

Zjadły obiad. Co robić z resztą dnia? Puc radził spacer. Mikado trzymał się Puca. Puc mu pokazywał, jak należy wymijać furmanki, jak obchodzić konie, jak trzymać się z daleka od chłopów, którzy trzymają w ręku bat i starają się nim dokuczać każdemu, kto jest od nich słabszy.

Minęły wreszcie miasto. W wesołych podskokach zbiegły nad potok.

Bursztyńsio, jak zawsze, z zamkniętymi ze strachu oczyma przebiegł mostek.

Zatrzymał się po drugiej stronie i zawołał:

– Puc, nie wchodź do wody, bo się utopisz, proszę cię, Puc!

Ale Puc już był w strumieniu.

Wody było niezbyt wiele, tak że Puc, pies wcale wysoki, pływać nie mógł. Brodził więc tylko po wodzie. Parskał i prychał z zadowoleniem.

Mały Mikado stał na brzegu.

Sam nie wiedział, co począć? Czy przebiec mostek i czekać na Puca po drugiej stronie strumienia, czy też wejść do wody?

– Puc, czy przyjemnie jest chodzić po wodzie? – spytał na wszelki wypadek.

– O, i bardzo – odpowiedział mu Puc i dalej już nie mógł mówić, bo chłeptał wodę, aż mu w gardle grało.

– Mikado, Mikado, nie podchodź blisko do brzegu! – wołał wystraszony Bursztyńsio, widząc, że Japończyk skacze po kamieniach coraz niżej do potoku.

– Nie bój się nic! Skacz śmiało! – parsknął Puc pomiędzy jednym łykiem wody a drugim.

Mikado usłuchał. I skoczył. W środek nurtu. Strumień nie był głęboki. Płynął.

Ale czy to, że nigdy nie pływał w bieżącej wodzie, czy że był lekki, czy może jakoś nie panował nad prądem, dość że zamiast płynąć wprost na drugi brzeg, zaczął wirować, kręcić się w kółko między kamieniami.

Bursztyn zobaczył pierwszy, że się dzieje coś złego.

– Mikado, wychodź z wody! – krzyczał. – Po cóż wlazłeś do strumienia? Wychodź!

Lecz łatwiej było radzić, niż wykonać radę!

Mikado już nie mógł dopłynąć do brzegu. Prąd go znosił coraz dalej i dalej.

– Puc, ratuj Mikaduchnę! – wrzasnął Bursztyn wystraszony. – Łap go, bo popłynie nie wiadomo dokąd!

Puc obejrzał się. Widzi, łebek Mikaduchny ledwie wygląda z wody.

I to daleko, hen, tuż przy moście!

Skoczył więc przed siebie. Dopadł Mikaduchny, wyciągnął go na brzeg.

Psina była ledwie żywa. Puc złapał go za kark, potrząsnął nim raz i drugi. I krzyknął:

– Teraz ósemka, ale taka z pieprzem!

Mikado porwał się na nogi.

Zrazu bieganie mu nie szło. Przewracał się co chwila. Osłabł od walki z prądem. Ale później jakoś zebrał się w kupę. Biegał, naszczekiwał, gonił. Nie gorzej od Puca i Bursztyńsia.

Biegały tak długo, aż się zziajały. Powiada Bursztyn:

– A pamiętaj, Mikado, więcej do wody nie wchodzić, bo się utopisz.

Mikado spojrzał nań z góry. Nie odpowiedział nic. Tylko stał na brzegu i hyc! do wody.

Tym razem poszło mu zupełnie inaczej. Płynął zupełnie pewnie. Wykręcił parę kółek na głębinie, nie dał się porwać prądowi, dopłynął do przeciwnego brzegu i wyskoczył na łąkę po kamieniach.

Bursztyn usiadł na zadzie z podziwu.

Puc przeskoczył potok i stanął przy Mikadzie.

– Jesteś pies jak się patrzy, jeśliś się nie uląkł tego, co ci się raz nie udało, i próbujesz na nowo.

Majtał przy tym ogonem z powagą i czułością.

Mikado spojrzał mu w oczy i powiedział:

– To, co robi każdy inny pies, mogę robić i ja. Trzeba tylko trochę wytrwałości i odwagi.

– Jazda! – zawołał Bursztyńsio, któremu już się nudziło to ciągłe bieganie nad potokiem. – Idziemy!

Puc zaproponował spacer do miasta. Na rynek. Na psi raut z tańcami.

Poszły. Kucuś obwąchał Mikaduchnę od nosa do ogona i od ogona do nosa i zapytał uprzejmie, ale ostrożnie:

– Pan tutejszy?

Puc stanął pomiędzy nimi.

– Ja za niego ręczę – powiedział do Kucusia.

– Prosimy więc do zabawy – zapraszał na to Kucuś. – Niech się pan zapozna z towarzystwem.

Mikaduchna stał nieruchomo. Wszystkie psy, ile ich było na rynku, podchodziły do niego kolejno i obwąchiwały go starannie.

Wymieniono też bliższe o sobie wiadomości przy słupie od latarni.

I wszystko by się skończyło najpomyślniej w świecie, gdyby nie Plotka.

Była to ruda suczyna, podobna z długości nóg do Tiuzdejka. I, jak on, zawsze kwaśna niby ocet siedmiu złodziei.

A kłótliwa była, nie daj Boże!

O każdy drobiazg się spierała, wszystko, co się działo, zawsze jej było nie w smak. Ciągle ją ktoś krzywdził, zawsze się skarżyła, labiedziła, jęczała, skomlała.

Uparta była jak kozioł.

W całym mieście wiedziano o tym, że kiedyś, gdy jej pani nie chciała Plotki wziąć ze sobą na spacer, przez złość zjadła jej dwie pończochy i poszewkę.

No tak, zjadła.

Nie lubił Plotki nikt z porządnych psów. Jeśli się kiedyś przyplątała do lepszego psiego towarzystwa, wiedziano, że koniec zabawy. Trzeba się było wynosić do domów.

Otóż ni stąd, ni zowąd, bo Plotka rzadko przychodziła na rynek, suczka napatoczyła się i od razu zaczęła swoje narze-

kania. Rozumie się, że od pierwszego wejrzenia uznała, że Mikaduchna jest przybłęda, obcy i że hańbą jest się z nim bawić. Ale że nigdy nie postępowała otwarcie, więc i tym razem nie występowała wprost przeciwko Mikadzie.

Zaczęła obchodzić psy tym swoim drobnym kroczkiem na trzech nogach, bo lewą tylną zawsze podnosiła do góry, jakby kulała. Naszeptywała to jednemu, to drugiemu do ucha:

– A to Mikado taki, to owaki. To tchórz, to znów maminsynek. To przybłęda, bo nie wiadomo nikomu, gdzie mieszka i z czyjej kuchni jada.

Takie tam Plotczyne złe plotki.

Co rozsądniejsze psy nic sobie z tych gadań nie robiły.

Ale pomiędzy psami na rynku znalazł się czarny kundel z białym uchem i białym podbrzuszem. Nazywał się Mędrek.

Lecz, pożal się Boże, jak to było z tą Mędrkową mądrością!

Znany on był w całym mieście ze swojej głupoty. Łeb miał okrągły jak bania, oczy tak bezdennie bezmyślne, że od razu, na pierwszy rzut oka, można było poznać psa, któremu brakuje piątej klepki.

Mędrek szczekał zawsze wtedy, kiedy inne psy nie byłyby szczeknęły za nic na świecie, rzucał się na ludzi i zwierzęta po to, by za chwilę, podkurczywszy ogon, uciekać, skowycząc i rozglądając się z przerażeniem za siebie.

Taki pies niedojda.

No i tchórz nad tchórze. A jak każdy tchórz, odważny był względem tych, którzy byli słabsi od niego i nie mogli się bronić. Nad takimi rad się znęcał. Kiedyś z zębów Mędrka ledwieśmy odratowali małego szczeniaka, którego ten kat dręczył dla samej przyjemności znęcania się.

Otóż, o ile psy nie brały do serca plotek i podmawiań, Mędrek spojrzał ze złością na Mikaduchnę, który był wątły, mały i mógł mu łatwo przejść pod brzuchem.

Podszedł on do Mikada, obwąchał go i warknął:

– Wynoś się z naszego towarzystwa!

Mikado spojrzał na niego po swojemu. Ani drgnął.

– Słyszałeś? – powtórzył Mędrek.

I zanim się kto opatrzył, co się stało, runął na Mikaduchnę i przygniótł go do ziemi.

– Dobrze mu tak, dobrze – szczeknęła Plotka i chciała jeszcze coś gadać, ale nie zdążyła.

Jeszcze nie zamknęła pyska, a już leżała na ziemi. Przewrócił ją Puc, który biegł Mikaduchnie na pomoc.

Plotka wrzasnęła:

– Takie to teraz zwyczaje! Nikt nie szanuje dam!

I dalej w płacz! Ale nikt nie słuchał jej wyrzekań.

Puc wpadł na Mędrka. Wbił mu zęby w kark i targał. Od brzucha dopadł go Bursztyn.

No i zaczęło się!

Bo jeszcze wpadł na rynek Lord, któremu wtenczas wieczorem nasze psy porwały wątrobę, Lord, który zresztą zawsze z Pucem i Bursztynem miał na pieńku.

– Co to za walka? – spytał Plotkę.

– Puc i Bursztyn duszą Mędrka! – jęknęła suczka.

Lord skoczył na walczących. Kucuś chciał ich rozbroić. Inne psy też się wdały w walkę.

I zrobił się na rynku taki harmider, że ludzie wychodzili z domów patrzeć, co się to wyprawia.

Psi kłębek toczył się od latarni do stacji benzynowej, zamiatając wszystko po drodze!

Waliły się stragany jak domki z kart. Leciały w puch miotły. Konie się spłoszyły! A ludzie uciekali, gdzie kto mógł.

Katastrofa!

I na ten psi taniec nadeszliśmy właśnie my, to jest Krysia i ja. No i panna Agata, rozumie się!

Pierwsza Krysia spostrzegła Mikada.

– Wuju, Mikado jest między psami!

Panna Agata, kiedy to usłyszała, zrobiła coś, czegośmy się najmniej po niej spodziewali.

Wrzasnęła, zatupała nogami, zamachała rękami.

– Noga moja nie postanie w tym mieście! – krzyknęła i zemdlała.

Krysia nie straciła głowy. Podskoczyła do kłębiących się psów. Chwyciła Mikada za ogon, bo akurat ogonek psiny był na wierzchu, i wyciągnęła go z psiego rojowiska.

– Jest, wuju, jest! – zawołała i w triumfie przyniosła go na chodnik.

Boże, jakie biedactwo było poharatane!

Z jedwabistych, wypieszczonych uszu same pokrwawione strzępki. Z futerka – coś, co przypominało zdechłego kota i szczotkę kominiarską.

Jednym słowem – rozpacz!

Trzeba się nim było zająć poważnie, bo ledwie dyszał. Było to tym łatwiejsze, że jego pani już się ocknęła. Ujrzawszy psy, gryzące się tuż przy niej, otrzeźwiała i zaczęła uciekać co sił w stronę domu.

Zabraliśmy na ręce biednego inwalidę.

Nie mógł iść, choć kości w nogach miał całe.

Trzeba go było wymyć. Znosił ciepłą wodę z mydłem jak bohater.

Nawet się nie skrzywił, gdy mu mydlana woda wpadła do oczu. Mrugał tylko powiekami i potrząsał głową.

Umyty, opatrzony leżał na poduszce i patrzył na nas. Właściwie nie na nas, tylko na Krysię. Bo odtąd oczu z niej nie spuszczał.

Wieczorem, gdy kładliśmy się spać, a Krysia poszła do siebie, Mikado zeskoczył z fotela i utykając mocno, podreptał za nią.

Poczekał, aż położyła się do łóżka. Wtedy wczołgał się na kołdrę. Podsunął się do samej twarzy i polizał ją ostrożnie raz i drugi po policzku.

– Kocham cię, bo jesteś odważna. I dla mnie naraziłaś się na niebezpieczeństwo.

A do późna w nocy słychać było ciche a bolesne skomlenie na podwórzu. To wrócili nasi domowi bohaterowie i opłakiwali swoje rany.

Że Katarzyna miała miękkie serce, więc dostali podwójną porcję na kolację i poszli spać.

ROZDZIAŁ DZIEWIĄTY

Minęło kilka dni. Mikado zmienił się zupełnie.

Nie dlatego, aby otrzymane w czasie walki na rynku rany miały go zeszpecić.

Ani trochę!

Poszarpane uszka zrosły się. Tam gdzie były niewyraźne zresztą blizny, zasłoniła je długa jedwabista sierść Mikada. Po rycerskim udziale Mikaduchny w starciu nie zostało śladu.

Był ładny jak przedtem, jak zwykle.

Zmiana też, o której mówię, nie dotyczyła powierzchowności psiny.

Zmienił się wewnętrznie. Zmężniał. Stał się psem jak się patrzy.

Biegał niezgorzej od naszych psów domowych. Skakał w górę lepiej niż Bursztyńsio.

I poweselał znacznie. Okrągłe paciorki oczu śmiały mu się, były pełne radości.

Pomimo to Mikaduchna nie stracił nic na swej wrodzonej powadze. Zawsze spoglądał na wszystkich z góry i nie pozwalał sobie na to, na co pozwalały sobie Bursztyńsio i Pucek.

– To nie pies, ale złoto! – mawiała o nim Katarzyna. – Można by mu na samym nosie położyć kawałek kiełbasy – nie ruszy.

Nie myślcie jednak, że i Mikaduchny nie trzymały się figle.

I to nie byle jakie!

Mało to co dzień miała kłopotu ta sama Katarzyna z serwetą?

A było tak.

Mikado zaraz z samego rana wybiegał na podwórze. Tam się wyczyniały psie harce hałaśliwe albo też cichsze, jeżeli Imka siedziała na płocie.

Podczas śniadania Mikado zawsze przychodził do pokoju. Lubił ocukrzoną herbatę. Siadał więc na krześle obok Krysi, patrzył jej w oczy. I raz po raz lizał po ręku.

Bo od czasu bitwy Mikado z całego nowego domu uznawał tylko Krysię. Kochał ją i okazywał jej to na każdym kroku.

Otóż przy śniadaniu sadowił się on zawsze przy niej. Całował jej ręce i czekał. Nie okazywał zniecierpliwienia, nie upominał się, nie skamlał, jak to robią wszystkie psy. Wiedział, że ocukrzona herbata go nie minie, i umiał być cierpliwy.

Raz tylko, pamiętam, tak się jakoś stało, że Krysia zamiast pić herbatę (Mikado dostawał swoją porcję ulepu zawsze wtedy, gdy Krysia skończyła śniadanie), zagadała się z Katarzyną.

Mówiły, mówiły, mówiły, a pies czekał. Zrazu jak zawsze cierpliwie. Gdy się rozmowa przedłużała, zaczął się niespokojnie poruszać. Oblizywał się przy tym czerwonym językiem i wpatrywał się w Krysię zdumionymi oczyma.

– Czyżbyś zapomniała, że jestem obok ciebie, że czekam grzecznie na swoją porcję herbaty? – dziwił się.

Gdy Krysia nie zwracała na niego uwagi i w dalszym ciągu rozmawiała z Katarzyną, Mikado podniósł się, oparł łapki na stole, przysunął się do Krysi bliziutko.

A przed Krysią stała pełna filiżanka herbaty.

„Wypije czy nie wypije?” – myślałem.

Mikado nie dotknął filiżanki.

Postanowił jednak najwidoczniej zwrócić za jakąkolwiek cenę na siebie uwagę, bo nagle wskoczył na stół, oparł się łapkami o piersi Krysi i liznął ją kilka razy po twarzy.

– Krysiu, a to Mikado widać czegoś chce od ciebie, że ci się tak przypomina – powiedziała Katarzyna.

Mikado oczywiście dostał herbaty. No i trochę pieszczot na dodatek.

Należały mu się one. Krysia przecież była winna i psu należały się przeprosiny – to raz, a po drugie – Krysia polubiła tak Mikada, że ciągle rozmyślała nad tym, co będzie, jeśli panna Agata zabierze go ze sobą.

Były tam nawet ciche rozmowy na ten temat w kuchni. Z Katarzyną. Coś wisiało w powietrzu. Alem się nie dopytywał.

A cóż z tą serwetą?

Właśnie, zaraz będzie o serwecie.

Po śniadaniu Katarzyna sprzątała ze stołu. Zdejmowała obrus i kładła serwetę z chwastem i frędzlą. Na tę chwilę czekał Mikado. Czepiał się ząbkami za którykolwiek brzeg i ciągnął ku sobie.

Serweta oczywiście jechała ze stołu.

Katarzyna łap! za nią!

Wtedy Mikaduchna odskakiwał z zajadłym szczekaniem. Ale niech no serweta zjawiła się na stole w całej swej okazałości, Mikaduchna zaczynał taniec na nowo.

Za pierwszym razem Katarzyna, która żartów nie lubiła, tupnęła ze złością nogą i wyszarpała serwetę z psich ząbków.

Trzeba było widzieć Mikada.

Spojrzał na Katarzynę łobuzersko, a tak jakoś dziwnie przymilnie.

– Przecież to są żarty – powiedział. – Zabawa! Nie trzeba się gniewać!

I znów skoczył ku serwecie.

Katarzyna pięścią w stół.

Mikado spojrzał na nią z wymówką, podwinął ogon pod siebie, wdrapał się na swój fotel i odwrócił się tyłem do Katarzyny.

– Patrzcie no go, jak się obraził! – zaśmiała się na to. – Mikuś, aby się nie gniewaj.

Mikado spojrzał na nią jednym okiem.

– Mikuś, serweta! – zawołała Katarzyna i umyślnie zaczęła suwać obrusem po stole.

– Zrozumiałaś już? – ucieszył się Mikado.

Skoczył i łap za frędzle.

Ujadał i szczekał, jakby się nie wiem co w domu działo. Katarzyna udawała, że broni stołu. Biegała, tupała. I taka była zabawa, aż ha!

Kończyło się zawsze na tym, że Katarzyna mówiła do Mikada:

– No, Mikuś, nabawiłeś się! Dość figlów! Trza iść do roboty!

Mik spoglądał na nią pytająco. Poznawał z miny, że istotnie dość zabawy. Podbiegał wtedy do Katarzyny, wspinał się jej do kolan i majtał ogonkiem.

Ona głaskała go po głowie.

– Przymilne to i wdzięczne, a mądre jak człowiek. Tylko mu mowę dać, to ho, ho, ho! – mawiała Katarzyna o Mikadzie.

I zawsze po takim wyznaniu były dłuższe rozmowy w kuchni z Krysią.

Co to będzie, jeśli panna Agata zabierze Mikada do Warszawy?

Tymczasem... tymczasem przyszło to niespodziewanie, cios, rozpacz, katastrofa!

Tiuzdejek, ten wyfraczony elegancik, ta zgryźliwa pokraka, który się nie zadawał zupełnie z naszymi psami, który ani na krok nie odstępował swojej pani... zginął!

Przepadł. Jak kamień w wodę.

Wyszedł rano na podwórze. Katarzyna go widziała, jak na swoich tykowatych nogach obchodził wszystkie zakamarki, jak to zwykł był robić co dnia. Lecz zamiast, jak to się działo co dzień, w te pędy wracać do pokoju, został.

Ale mija kwadrans, mija godzina... O Tiuzdejku ani słychu.

Awantura! Gwałt! Bieganina! Szukanie!

Panna Agata z rozwianym włosem szaleje po ogrodzie. Zagląda pod każdy krzak agrestu! Przeszukuje każdy krzak bzu! Gałązkę po gałązce! Depcze po kapuście! Sałaty jakby nigdy nie było! Pomidory w kawałki!

Kto by tam od rozpaczy śmiał wymagać rozsądku!

Katarzyna wściekła! I o sałatę, i o kapustę, i o pomidory! Wyciąga za spódnicę pannę Agatę z grządek! Ta się szarpie, wyrywa!

Puc mrugnął na Bursztyna, Bursztyn na Puca.

– Pomagajmy Katarzynie – powiedziały sobie.

Ale nie o pomoc tu chodziło, tylko o wrzask i szarpanie. Co Katarzyna złapie za suknię pannę Agatę, to już Puc ciągnie ją z drugiej strony. A Bursztyńsio doskakuje z wrzaskiem z przodu.

A panna Agata nic, tylko jednym głosem woła:

– Tiuzdej, Tiuzdej, Tiuzdej!

A coraz piskliwiej, coraz chrypliwiej! Jakby kto nożem po szkle...

Ech! – koniec świata, i tyle.

Sąsiedzi się zbiegli na to widowisko! Do samego południa trwały te poszukiwania Tiuzdejka.

Musiałem pożyczyć sieci, brodzić po sadzawce, bo się pannie Agacie koniecznie uwidziało, że Tiuzdej utopił się w tej kałuży, w której więcej błota niż wody.

Miesiłem to błoto nogami i naprawdę nie mogłem w tym znaleźć nie tylko przyjemności, ale i sensu. Bo nie tylko Tiuzdej, ale i szczur nie byłby się mógł utopić w naszej sadzawce.

Ale czego się to nie robi po to, aby dogodzić zrozpaczonej kobiecie, no i gościowi.

Wreszcie powróciliśmy do domu.

Panna Agata słania się i ledwie mi przez ręce nie leci.

Po lekarza, myślę, posłać czy jak?

Wchodzimy na podwórze. Nagle Bursztyn spojrzał na Puca. Puc na Bursztyna. Nosy w górę. Węszą.

– Puc! – krzyknął Bursztyn. – Czujesz naszą wątrobę?

– Nie przeszkadzaj! – warknął Puc i zaciąga się wiatrem.

I jak kamień z procy śmiga w furtkę. Bursztyn za nim. Nie upłynęło okamgnienie – jazgot, pisk, wrzask, gdzieś za ogródkiem na ulicy.

– Tiuzdejek, mój Tiuzdejek! – krzyknęła panna Agata i już jest za furtką.

Krysia, Katarzyna i ja – za nią!

O kilkanaście kroków od furtki, tam gdzie się zaczynało już pole – widzimy – kłębi się coś. Kurz... do nieba! Nie widać nic, tylko tuman, z którego miga to łeb, to ogon, to noga. Wrzask nad ludzkie pojęcie!

Podbiegamy bliżej.

Puc i Bursztyn obrabiają Tiuzdeja!

Odgryzał im się wcale nieźle. Nawet bym się tego po takim niedojdzie nie spodziewał.

I o co to bitwa? O wątrobę.

Musiał ją Tiuzdej zwęszyć, zabrać, wywlec z ogrodu na pole. No i fetował się tym smakołykiem!

Że sobie nie żałował, tośmy mieli sposobność stwierdzić. Byłem pewien, że po tej uczcie ducha wyzionie!

Panna Agata wzięła sobie całą przygodę tak mocno do serca, że zaraz zaczęła pakować rzeczy.

– Nie zostanę ani chwili w domu, gdzie są takie nieznośne psy! Jeżeli mój Tiuzdejek mógł jeść jakiś surowy, zatęchły ochłap, to tylko dlatego, że się wdał z takimi psami jak wasze! – wymawiała nam, biegając od kufra z rzeczami do koszyka, w którym leżał zbolały „skarbuńcio".

Nie sposób było wyperswadować pannie Agacie, że nasze psy nie mogły „zepsuć" jej Tiuzdejka, bo skarbuńcio nie wdawał się zupełnie z Pucem ani z Bursztynem.

Uparła się, i koniec.

Wieczorem, przy kolacji, Krysia trzymała ciągle na kolanach Mikada.

I tak mi się zdawało, że gładząc go po głowie, pociągała nosem. A Katarzyna chodziła markotna. Po kolacji Krysia podchodzi do mnie i mówi:

– Wuju, a jak będzie z Mikadem?

– Jak ma być, kochanie? Pies stanowi własność panny Agaty. Wprawdzie widzę, że mniej go ona lubi niż Tiuzdejka, ale skoro zechce zabrać Mikada do Warszawy, to go zabierze.

– A może tak... – zaczyna Krysia.

– Co?

– A może by tak wuj poprosił pannę Agatę, żeby nam go zostawiła?

– Moje dziecko – powiadam – niedobrze jest wyręczać się kim innym, kiedy daną sprawę możemy załatwić sami. Pomów sama z panną Agatą.

Krysia poszła.

Nie minęło minuty, już była z powrotem.

Płakała.

Pobiegła do kuchni. Co tam mówiły z Katarzyną, nie wiem. Wiem tylko, że drzwi trzaskały w całym domu, rondle szczękały, nazajutrz śniadanie spóźniło się o całe pół godziny, a mleko było tak przypalone, że go do ust wziąć nie można było.

Gdy zajechała bryczka, którą mieliśmy odwieźć na kolej pannę Agatę, i zaczęło się wynoszenie rzeczy, Puc i Bursztyn z Mikadem były gdzieś na mieście. Zjawiły się dopiero w ostatniej chwili.

Panna Agata schwyciła Mikada, wpakowała go gwałtem do koszyka.

– Widziałeś? – szepnął Puc zdruzgotany tym, co zobaczył.

Bursztyn nie odpowiedział nic.

Ale za to panna Agata krzyknęła i puściła koszyk z Mikadem na ziemię.

Bursztyn ugryzł ją w łydkę.

Robił to rzadko, ale zawsze boleśnie.

Odskakiwał po tej operacji w bok i robił taką minę, jakby nie wiedział, o co chodzi.

Panna Agata schwyciła się za nogę.

– Zabijcie tego kundla! Jest na pewno wściekły! – krzyknęła i rzuciła się przez omyłkę na Puca z parasolką.

Puc wyszczerzył na nią zęby i syknął:

– Ręce z daleka! Bo ja takich poufałości nie lubię!

Ledwieśmy jako tako załagodzili tę sprawę, aż tu masz, nowa awantura. Mikado wyszedł z kosza, ogon pod siebie i w nogi na podwórze.

Złapałem go, niosę, panna Agata porwała psa na ręce. Zapakowała do kosza. Jedziemy.

Czy Krysia pociągała noskiem?

O, i jak jeszcze! A na koszyk z Mikadem starała się nawet nie spoglądać.

Wnieśliśmy rzeczy panny Agaty do wagonu. I koszyki z psami.

Pozostawało jeszcze kilka chwil do odejścia pociągu. Panna Agata stanęła w otwartym oknie.

Przerzucaliśmy się ostatnimi pożegnaniami, jak to zwykle bywa podczas odjazdu.

Nagle – pociąg już rusza, panna Agata kiwa nam ręką, Krysia krzyczy:

– Mikado!

I jakaś kula odbiła się od wagonu i spada pomiędzy nas.

– Mikado!

Widocznie koszyk się otworzył, psina wdrapała się po poduszce do okna.

Wybrał Krysię. Wolał ją niż swoją panią.

– Ha, trudno. Jakoś się sprawę załatwi – powiedziałem sobie i nie mąciłem radości Krysi i Mikada, którzy cieszyli się tym, że się odnaleźli nawzajem.

I odtąd Mikado został już u nas na stałe. Pannę Agatę udało się przekonać, że psu lepiej będzie u nas.

Mikado został więc z Pucem i Bursztynem. No i z Krysią. Tylko zmienił imię. Nazywał się krótko: Mik.

Sypiał w pokoju przy łóżku Krysi. Nie spuszczał oczu z nikogo, kto się do niej zbliżał. Niech Bóg broni, aby się do niej dotknąć. Skamlał wtedy, prosił:

– Nie krzywdźcie mojej panienki. Ja ją kocham. Nie róbcie jej przykrości.

A gdy ktoś tak sobie, na niby, udawał, że ją uderza, nie zważał na nic, tylko się rzucał z furią i gryzł.

Z psami żył zawsze jak najlepiej. Gdy dnie były nudne, jednostajne, przesypiał je w budzie, gdzie zawsze była barania łopatka, jedyna psia pociecha w chwilach niedoli.

Wydawnictwo NASZA KSIĘGARNIA Sp. Z o.o.
02-868 Warszawa, ul. Sarabandy 24c
tel.: 22 643 93 89, 22 331 91 49
faks: 22 643 70 28
e-mail: naszaksiegarnia@nk.com.pl

Dział Handlowy
tel.: 22 331 91 55, tel./faks: 22 643 64 42
Sprzedaż wysyłkowa
tel.: 22 641 56 32
e-mail: sklep.wysylkowy@nk.com.pl **www.nk.com.pl**

Redaktor wydania ***Małgorzata Grudnik-Zwolińska***
Redaktor techniczny ***Agnieszka Dwilińska-Łuc***

ISBN 978-83-10-11966-7

PRINTED IN POLAND

Wydawnictwo „Nasza Księgarnia", Warszawa 2010 r.
Druk: Opolgraf S.A.